La vie fantôme

DU MÊME AUTEUR

Chez le même éditeur

UN PRINTEMPS FROID

*Aux éditions Flammarion
(collection Digraphe)*

PAYSAGE DE RUINES AVEC PERSONNAGES
LE VOYAGE D'AMSTERDAM OU LES RÈGLES DE LA CONVERSATION

Aux éditions Hachette/P.O.L

LES PORTES DE GUBBIO *(Prix Renaudot 1980)*

Traductions

Roberto Calasso : LE FOU IMPUR (P.U.F.)
Pier Paolo Pasolini : LA DIVINE MIMESIS *(Flammarion)*
Italo Calvino : SI PAR UNE NUIT D'HIVER UN VOYAGEUR
(en collaboration avec François Wahl) (Seuil)

Danièle Sallenave

La vie fantôme

Roman

P.O.L
8, villa d'Alésia, Paris XIVe

ISBN : 2-86744-068-8

I

1

Ils s'étaient redressés dans le lit, le jour tombait, Laure tendit la main vers la lampe de chevet. « N'allume pas », dit Pierre. « Restons encore un peu comme ça. » Tourné vers elle, les yeux toujours fermés, il posait au hasard ses lèvres sur son épaule, sur son cou, sur le haut de sa poitrine. Par la fenêtre entrouverte, à travers le store aux lattes inclinées, des bruits montaient : cris d'enfants, jet d'eau, froissement de feuilles séchées. Laure se renfonça dans le lit ; et, posant sa tête sur l'avant-bras de Pierre, de la main gauche elle caressa doucement sa hanche. Pierre sourit. Il était assis, le dos droit contre les oreillers, et passait lentement sa main sur sa poitrine nue, puis il dégagea délicatement son poignet et, le faisant tourner, regarda sa montre. La porte de la chambre laissait voir un vif reflet brillant sur le sol de la salle de bains. Pierre avait soulevé le drap et glissait une jambe hors du lit. « Où vas-tu ? » dit Laure d'une voix ensommeillée. « Dors un peu », dit-il tout bas. « Veux-tu que je fasse du thé ? » « Non, dit Pierre, il est tard. Dors. » Laure ouvrit les yeux. Pierre lui tournait le dos ; sur ses reins, la couleur brune s'arrêtait net, juste au-dessus de ses fesses rondes. « Dors », dit-il encore. « Quelle heure est-il ? » dit Laure. « Cinq heures ? » « Six », dit Pierre. « Et même un peu plus. » « Tu as le temps », dit-elle. Il ne répondit pas, et Laure entendit l'eau couler dans la salle de bains. Tout à coup un vif regret l'avait saisie ; elle se sentait la tête lourde, la bouche amère. La lumière avait encore baissé et les cris des enfants se mêlaient aux joyeuses éclaboussures du jet d'eau. Dehors, la belle journée de septembre s'achevait, et ils n'en avaient rien vu. Sur un plateau, dans la cuisine, le cake en tranches séchait près des tasses propres.

Pierre était de retour dans la chambre et, debout au pied du lit, il boutonnait sa chemise. « Comme il fait chaud ici, dit-il, aide-moi à relever mes manches. » Laure se mit à genoux dans le lit avec effort. « Tu t'étais rendormie », dit-il tendrement. « Non, dit Laure, mais je n'avais pas envie de me lever. » Pierre avait posé le genou sur le matelas qui se creusa ; la tête inclinée, il tendait le bras vers elle et, tandis qu'elle roulait sa manche en plis réguliers, de ses doigts il effleura le dessous élastique de son sein. « Laisse », dit-elle. Déjà, il allongeait vers elle l'autre bras et sa main libérée frôlait le ventre de Laure. « Non, dit-elle encore, ne me touche pas. » Il retira sa main, se redressa et palpa ses poches. On entendit un léger bruit de clefs. « Comment fais-tu d'habitude ? » dit Laure. Il se retourna sans répondre. « Comment fais-tu ? » dit Laure une deuxième fois. Il haussa les épaules : « Je ne sais pas de quoi tu parles », dit Pierre. Puis il fixa autour de son poignet le bracelet de sa montre et finit d'ajuster son pantalon. « Je m'en vais, dit-il, c'est comme cela que tu me dis au revoir ? » Il se penchait vers le lit, les yeux tendres, à demi clos. La colère de Laure était tombée. Pierre continuait de la regarder, la main posée à plat sur le mur pour garder son équilibre. Laure l'avait saisi par le cou, et tirait. « Non, dit Pierre, il est trop tard, il faut vraiment que je m'en aille. » Ils luttèrent un instant, puis Laure le lâcha, sa colère était revenue. « Viens », dit Pierre. Il était déjà dans l'entrée et tendait la main vers elle sans la regarder. Elle le suivit. « Tu commences quand ? » dit Pierre. « Lundi », dit-elle. « Moi, mercredi seulement, dit Pierre, mais il faut que j'y aille avant, de toute façon. » Il vit qu'elle ne souriait pas, se retourna et l'enlaça. « Tu es nue, dit-il, ne me tente pas, c'est déjà assez dur de partir. » Elle avait posé le visage contre son cou. « Va-t-en maintenant », dit-elle, et elle le baisa sous le menton. « Ta barbe a poussé. » « Je t'ai fait mal ? C'est vrai, elle a poussé. » Du revers de sa main, il fit crisser les poils raides de sa joue. « C'est vrai, j'ai l'air d'un sauvage. » « A demain », dit-il encore, la bouche contre sa bouche, « ou à tout à l'heure, si je peux. Je t'appellerai de toute façon demain matin. » Elle ne regardait pas ; il avait refermé la porte sur lui, et comme d'habitude grattait doucement le revers en signe d'adieu avant de s'engager dans l'escalier. Elle entendit presque aussitôt claquer la porte de l'im-

11

meuble et, se retournant, elle vit le soleil bas qui colorait de rouge les carreaux de la cuisine.

Tandis qu'il s'avance sur le trottoir entre les arbres poussiéreux dont le feuillage épaissi par l'été commence à jaunir, Pierre se souvient de la question de Laure, et avec un peu d'impatience, entreprend de baisser ses manches, puis il les boutonne quoiqu'elles le serrent un peu, pinçant entre ses lèvres le trousseau cliquetant de ses clefs. Il est six heures et demie, il n'est pas question de prendre le boulevard. Il démarre lentement, rejoint le flot au coin de la rue, parvient à le couper ; puis il croise une longue file d'attente. Sa tête est lourde, son cœur bat trop fort. Il respire deux fois lentement. Sur sa gauche, une vitrine éclairée pour la nuit montre derrière son store de fer des rangées parallèles de vélomoteurs surmontées des globes rutilants des casques. Il aborde le pont de chemin de fer, s'efforce encore une fois de respirer profondément ; tourne le bouton de la radio, regarde par la fenêtre l'ancien canal ensablé. Puis il baisse le son, passe deux fois la main dans ses cheveux, il se sent moite encore, mais le calme lui vient.
    Il regarde à gauche, passe en seconde, et rejoint sans encombre le boulevard du Château.

Laure est retournée dans la chambre ; la chaleur, l'air confiné lui pèsent. Pourtant, elle n'ouvre pas davantage la fenêtre. Du doigt elle écarte les lamelles du store ; dehors le calme est revenu, les enfants du gardien sont rentrés dans la petite cuisine pour le dîner. Laure va et vient, passe d'une pièce dans l'autre, revient s'étendre un moment dans les draps chauds et froissés, puis elle se relève, remplit la baignoire et reste immobile dans l'eau chaude, les yeux fermés, tandis que la vapeur monte autour d'elle, poisse ses cheveux, ternit les carreaux de céramique vernie. Le sommeil la gagne. Il est près de huit heures, la nuit est tombée. Dans la cuisine, un peu de vent fait bouger la fenêtre mal fermée. Elle enfile un peignoir, vient s'asseoir à la table sans allumer, la chaise colle à ses fesses nues, elle se soulève légèrement et tire le tissu sous elle. Elle mange un peu de cake, elle écoute. Silence. Un pas dans l'escalier, son cœur bat plus vite, le pas s'atténue, disparaît. De nouveau l'eau coule dans la cour, le jet frappe le bas des murs, les plantes en pot, et rebondit en claquant sur les dalles. Elle ramasse quelques grains de raisin séchés, les porte machinalement à sa bouche. C'est la dernière semaine, pense-t-elle. A partir de lundi, tout recommence.

Tous les jours, elle quitte la bibliothèque à quatre heures et demie, c'est une heure commode pour se voir — sauf les jours (deux, cette année peut-être trois) où Pierre a ses cours. Le mercredi est exclu des calculs, c'est le jour des enfants. En général, ils se retrouvent ici, Pierre a ses clefs. Depuis quelque temps, cependant, il arrive à Laure de ne plus se hâter de rentrer les jours où Pierre l'attend. Elle s'attarde dans son bureau, il lui arrive même de proposer à l'une de ses collègues de partir, elle restera encore un peu; l'autre, étonnée, la remercie. Une fois même, elle est arrivée après le départ de Pierre : elle a trouvé un mot (« Que s'est-il passé ? Je suis fou d'inquiétude, je n'ai pas osé appeler à la bibliothèque », etc.)

Elle était allée trop loin : maintenant, elle s'en tient à un juste milieu. Elle le fait attendre un peu, pour ne pas avoir l'air d'être entièrement à sa disposition. En même temps, elle est heureuse d'arriver après lui, de sonner chez elle, comme on fait lorsqu'on vit à deux et qu'on a oublié ses clefs. (Tout cela s'est fait sans calcul, ou pour répondre à un calcul obscur, presque indépendant de sa volonté.) Il lui ouvre, impatient, la voix tendue, chaude : « Je suis déçu ! » dit-il. « Je n'ai plus qu'une heure, mais viens, viens tout de même, viens vite. » Elle le suit docilement dans la chambre. Puis elle est de nouveau seule, c'est à peine s'ils ont eu le temps de parler, pense-t-elle.

De nouveau, Laure est dans la chambre ; elle s'étend, de la main lisse les draps froissés, regarde une tache sur le drap sombre, la gratte de l'ongle, puis elle rapporte de la salle de bains un gant mouillé, frotte. Elle est étendue. L'odeur de terre et de plantes fraîchement arrosées passe par la fenêtre, avec le doux jacassement d'un enfant, à l'étage d'en-dessous. Du pied, Laure atteint le poste de télévision, appuie sur le bouton. Après un moment, entre ses paupières qui se ferment, elle voit un hélicoptère se poser sur un fond de jungle dans un grand froissement de branches cassées et le hurlement des pales. Des hommes armés sautent et, courbés, se dispersent sous les bambous. Un visage souriant apparu dans le coin gauche de l'écran en occupe maintenant toute la surface : « Le débarquement des troupes s'est poursuivi durant toute la matinée. Vers 5 heures GMT, on pouvait dire que... » Elle n'entend pas la fin de la phrase, elle a fermé les yeux et glisse dans le sommeil, sentant

14

contre sa hanche la tache humide sur le drap. Une lumière jaune baigne la pièce. Des mots se forment dans sa tête, un vague reproche monte de son corps fatigué, elle passe la main sur son ventre et s'endort tout à fait.

Maintenant qu'il a dépassé la gare, Pierre n'est pas loin de chez lui. Et finalement, il a plus de temps qu'il ne croyait, il oublie toujours qu'Annie reste à la banque jusqu'à six heures et demie le vendredi. Il range la voiture le long du trottoir, descend, pousse la barrière de bois ; son fils l'a déjà vu. « Je t'ouvre le garage, papa ? » « Non, dit Pierre, je ne la rentre pas, je file tôt demain matin. Ça va ? » « Oh oui. » L'enfant se hausse jusqu'à son visage, ses cheveux sentent le soleil et la craie. « Oh oui », répète-t-il. « Mais tu as l'air fatigué, papa », dit-il. « Ce n'est rien, dit Pierre, qu'est-ce que tu as fait cet après-midi ? » « Oh, rien, dit l'enfant, la nouvelle maîtresse est malade, on n'aura sa remplaçante que lundi. Je suis allé à la piscine, mais Françoise s'est tordu le pied. » « Où est-elle ? dit Pierre, tu ne pouvais pas le dire plus tôt ? Maman est là ? » « Non, dit Bruno, maman l'a ramenée à quatre heures et elle est repartie au bureau, elle a dit qu'elle rentrerait tard. »
Pierre pousse doucement la porte de la chambre. D'abord il ne voit rien ; puis il entend la voix de l'enfant. « Papa ? » « Alors, ma puce, dit-il, alors ? » Et en s'asseyant sur le petit lit, il sent son cœur se gonfler. « Alors, ma puce ? » répète-t-il. « Tu sais, dit la petite, je n'ai pas pleuré du tout. » Pierre prend la petite main dans les siennes. « Tu as chaud, ma puce. Raconte, dis-moi ce qui s'est passé. » « J'ai

glissé, dit-elle, je n'ai pas vu la petite marche, toujours la maîtresse le dit pourtant, de faire attention. » Pierre la recouche, rabat son drap. « Ça ne fait pas trop mal ? » « Non, dit-elle, tu veux voir ma bande ? » « Ne bouge pas, dit Pierre, dors, maman va rentrer. » Il reste un moment assis sur le lit ; le visage de la petite fille est dans l'ombre, mais son front brille de sueur sous les cheveux collés. Elle remue un peu, s'endort. Habitués à l'obscurité, les yeux de Pierre voient maintenant le désordre familier ; les images découpées, collées sur le mur ; le grand oiseau indien qui se balance dans le courant d'air. Il est pris à son tour d'une forte envie de dormir, il entend à peine la porte s'ouvrir dans son dos, et la voix d'Annie, basse, fatiguée : « Tu es là ? » La petite s'est réveillée. « Un baiser, maman, un baiser ! » Annie passe devant Pierre qu'elle frôle de ses cheveux en se penchant vers le petit lit : « Oui, ma chérie, un gros baiser à ma petite fille si courageuse. » Les bras de la petite se referment sur elle.

Dans la salle à manger, Pierre a ouvert la télévision. « Comment est-ce arrivé ? » dit-il. « Je n'en sais rien, dit Annie, on m'a appelée au bureau, tu n'étais pas encore rentré, il n'y avait personne à la maison. Le docteur dit que la cheville n'est pas foulée, on la lui a juste bandée très serré. Est-ce que tu veux manger tout de suite ? » « Non, dit Pierre, je peux attendre, simplement je boirais bien quelque chose. Et toi ? » « Oh moi, deux fois plutôt qu'une », dit Annie. « Tu sais que Combet n'est pas revenu ? Et évidemment, tout retombe sur moi. » Pierre regarde par la fenêtre ; un oiseau noir s'est posé dans le massif d'hortensias qu'il agite. Il se force à répondre : « Pas revenu de vacances ? » « Mais non,

16

dit Annie, pas revenu du tout, et son successeur n'a pas encore pris ses fonctions. » Sur l'écran, un hélicoptère vert taché de marron est apparu, il se pose entre les bambous dans un fracas de branches cassées ; puis il se brouille et une rangée de lignes vibrantes, vertes et jaunes, lui succède. « Je ne sais pas ce qui se passe, dit Annie, cette télé ne marche plus. » « Non, dit Pierre, je crois que c'est l'image. » En effet, un visage souriant apparaît bientôt, vif, coloré. « C'est au Cambodge ? » dit Annie. « Justement, dit Pierre, je voulais savoir, mais tu as parlé en même temps. » Elle est venue s'asseoir auprès de Pierre et lui tend un verre. « Tout ça ? dit Pierre, tu m'en as trop mis. » « Bois, dit Annie, c'est très bon. Tu commences lundi ? » « Non, dit Pierre, mercredi, mais il faut que j'y aille avant, j'ai toutes sortes de réunions stupides. » « Pas tant que les miennes », dit-elle. « Parfois, je... » Elle s'interrompt, glisse vers lui sans presque bouger. « Approche-toi, dit-elle, j'ai besoin de ton épaule, je n'en peux plus, je ne sais même pas s'il y a quelque chose à manger. » « Il doit rester du poulet », dit Pierre. Il boit une deuxième gorgée et sent au creux de son estomac une chaleur vivifiante, qui gagne ses épaules. Il respire profondément. « Tu vois, dit-elle, cela fait du bien. » La voix de Bruno lui parvient comme étouffée, de l'autre bout de l'appartement : « Quand est-ce qu'on mange ? » « Ne crie pas, dit Pierre, tu vas réveiller ta sœur. » Sur l'écran, le visage du présentateur s'efface. « Mon chéri, dit Annie, si tu mettais le couvert ? » Pierre s'est levé. « Non, dit-elle, laisse-le faire, il faut qu'il gagne son argent de poche. Repose-toi, reste encore un peu à côté de moi. » Avec autorité, elle soulève le bras de Pierre, le fait passer derrière ses épaules, et plaque sa main droite bien ouverte sur son sein. « Ah, c'est bon », dit-elle, les yeux clos, le visage souriant. Pierre reste immobile, sans refermer tout à fait sa main. L'enfant est entré avec une pile d'assiettes ; au passage, il jette sur ses parents un regard inquisiteur et content, puis détourne vite la tête.

2

Laure est réveillée le lendemain matin vers huit heures par une série de violents coups de sonnette. Sa première pensée est accompagnée d'un serrement de cœur. La halte trop courte du sommeil est déjà terminée, Laure se voit ramenée à contre-cœur dans le dur calcul des journées, c'est comme de quitter l'ombre bienfaisante des arbres pour traverser une place nue, sous le feu du soleil et des regards filtrant à travers les volets clos. Elle soupire, se redresse ; une deuxième volée de coups a retenti. Cependant rien ne peut faire que ce soit Pierre, anxieux, debout derrière la porte : « J'ai oublié mes clefs, je ne pouvais plus attendre. »

Elle a enfin ouvert la porte. « J'allais repartir », dit un jeune homme en blouson, la sacoche à l'épaule. « Je m'excuse de vous avoir réveillée si tôt, mais vous

étiez la première sur ma liste. » « Je vous montre »,
dit Laure. Elle va jusqu'à la fenêtre, remonte le store.
La vive lumière d'automne entre dans la pièce. Le
jeune homme a jeté sa sacoche sur le tapis. « C'est
lourd », dit-il. Puis il retourne l'appareil téléphonique, dévisse le socle, dégage les fils. « J'en ai pour
une minute, dit-il, je vous en mets cinq mètres, est-
ce que ça suffira ? » Laure acquiesce. « Vous feriez
mieux de faire mettre une deuxième prise, dit-il, dans
la chambre par exemple, pour le cas où il vous téléphone la nuit. » Il est à peine huit heures et demie,
Laure n'écoute pas. Là-bas, dans l'autre maison, est-
ce qu'ils sont réveillés ? Que fait Pierre ? Le même
serrement de cœur la reprend ; chaque jour elle doit
franchir quelques heures plus difficiles à passer que
les autres. Celle-ci par exemple, ou celles du début
de la nuit. Ce sont des moments où il vaut mieux
dormir ; quand on se réveille, la menace est passée.
Mais la voix du jeune homme la ramène au grand
jour, elle doit encore affronter la place nue, et le
soleil. « Il est joli, ce canapé, dit-il, on doit être bien
dessus. Je peux poser l'autre prise tout de suite, si
vous voulez. Par chance, j'ai tout ce qu'il me faut. »
« C'est vraiment joli chez vous », reprend-il. « Le
lit n'est pas fait, dit Laure, pardon. » « A cette
heure-ci, dit-il, on en voit d'autres. Mais tout ça ne
tient guère. » Il est debout dans l'entrée de la
chambre et pousse du doigt la porte du placard dont
la charnière a cédé. « Je sais, dit Laure, je vais la
changer. » « Il y a longtemps que votre mari aurait
dû le faire, dit-il, parce que l'autre aussi fatigue, elle
va prendre du jeu. » « Je suis capable de le faire »,
dit Laure. « Oh, dit-il, je m'en doute, mais si vous

aviez besoin d'un coup de main, un soir après six heures, je suis là. »

Il a fini de visser le couvercle, range la perceuse et de la main rassemble poussières et bouts de fil : « J'ai fini, dit-il, je vais appeler mon contrôle. Maintenant, il vous faudra un autre poste, ou alors vous ramenez celui-là dans la chambre le soir. » Dans l'entrée, il remonte sa sacoche d'un geste vif sur son épaule, et jette un coup d'œil sur la petite bibliothèque. « Vous avez lu tout ça ? Moi, un livre, ça me fait l'année. » Laure ne sourit pas, elle a chaud, elle voudrait qu'il s'en aille. « C'est mon métier », dit-elle. « Vous êtes institutrice ? Professeur ? » « Non, dit Laure. Je travaille à la bibliothèque. » Il siffle entre ses dents : « Alors des livres, vous en voyez tous les jours. Et vous n'en avez pas assez ? » Il a des yeux clairs, et une courte moustache blonde qui remue quand il parle. Il sourit encore une fois. « Le soir, dit-il, vous faites quoi ? J'ai une moto, et j'aime les bons disques. Je connais un endroit où on peut aller en écouter. » Elle secoue la tête. « Ça peut se faire, dit-il, on ne sait jamais. Bibliothécaire ! » Et il siffle de nouveau entre ses dents, étonnement, admiration, pointe de mépris.

Elle referme la porte. Est-ce que je n'aurais pas dû lui donner un pourboire ? Comment faire ? Le lui glisser dans la main, dans sa poche ? Elle remet en place le cube de bois blanc à son chevet, et repose la lampe, le réveil. Le soleil monte, c'est encore l'été, la chaleur l'étourdit. Elle allume machinalement la lampe, l'éteint, va chercher le combiné, le branche puis le pose sur le lit. Elle attend. Une fois, pense-t-elle, rien qu'une fois, si j'appelais ? Son cœur bat vite, son souffle se précipite ; elle sent ses jambes

bler, ses mains devenir moites. Elle soulève le
biné, compose les chiffres, écoute la sonnerie et
roche au bout de trois coups. Quelqu'un là-bas
a dû dire : « Le téléphone ! Décroche ! Je ne peux
pas, j'ai les mains mouillées. » Ou : « Moi, je n'avais
rien entendu. » Ou encore : « Tiens, ça s'arrête déjà,
c'était sans doute une erreur. » Sa pensée se détourne
comme un animal rétif ou capricieux lorsqu'elle la
force à imaginer la place du téléphone, dans des lieux
qu'elle ne connaît pas : une table basse près d'un
canapé ; un petit meuble dans le couloir, une tablette ;
une table de chevet. Là, sa pensée se dérobe tout
à fait. Un instant cependant elle a senti la présence
concrète, quoique immatérielle, de la maison comme
si en y faisant retentir la sonnerie du téléphone elle
avait permis à une sorte de promiscuité de s'établir,
un lien, gênant, obscur, presque obscène, qui l'émeut,
la dérange, la bouleverse. Tandis que la vision
s'efface, Laure sent un grand découragement l'envahir. Elle s'étend sur le lit, se renverse en arrière, ses
cheveux se répandent, elle y enfouit le visage. Leur
odeur la réconforte, c'est toujours ça, pense-t-elle
bizarrement. Le soleil atteint ses pieds, monte sur
ses jambes, elle s'endort dans l'odeur du store de
bois roulé.

L'été, autrefois, ses parents louaient une petite
maison en Charente, toujours la même. Son frère
et elle dormaient dans deux lits d'angle, au fond de
la grande cuisine, sous la fenêtre garnie d'un store
de bois. Son père leur bricolait une lampe de chevet,
une ampoule au bout de son fil protégée par un cor-
net de papier qui ne tardait pas à roussir et à se per-
cer d'un trou frangé de noir friable. En s'endormant,
ils avaient encore dans l'oreille le murmure de la

22

rivière sous les arbres. Dans le noir, elle entendait la voix de son frère : « Maman, maman ! » Puis celle de sa mère : « Tais-toi, dors, tu vas réveiller ta sœur. » Rendormi, son frère continuait de parler dans son sommeil. Laure, tout à fait réveillée, entendait le frottement des pieds nus de sa mère sur le carreau, et le bruit profond du grand lit qui grince tandis qu'elle se recouche, puis le murmure ensommeillé de son père. Le souvenir s'efface, Laure s'est endormie.

Quand elle lui a raconté cela, « Moi-même j'avais une ligne, et il m'arrivait de pêcher des poissons ! » Pierre a haussé les épaules d'un air impatienté : « Mon beau-père, c'est pareil, mon beau-père aussi voulait toujours nous emmener pêcher à la ligne. J'avais horreur de cela. Mon frère aussi. Nous restions à la maison sous prétexte de finir nos devoirs, en réalité c'est là que nous avons commencé à fumer, un jour nous avions même fini la bouteille de porto, mon frère l'avait remplie avec de l'eau teintée de caramel et d'encre rouge. » « Et alors ? » dit Laure. « Alors, je ne sais pas, je ne me souviens plus de ce qui s'est passé. Nous étions de petits cons, vraiment, je t'assure. Je voulais faire comme mon frère, ou comme les plus mauvais éléments de la classe, traîner à ne rien faire, ne jamais ouvrir un livre. Cela faisait le désespoir de ma mère. Et même de mon beau-père qui savait ce que ça coûte d'être pratiquement sans instruction. Du reste, ça n'a pas duré. Que veux-tu ! J'étais un bon élève, on ne se refait pas. » Puis, après un silence : « J'aurais bien voulu connaître tes parents », dit Laure. « Moi aussi, dit Pierre, j'aurais bien voulu connaître mon père. » Il souffle par le nez, d'un air de sarcasme. « En réalité, pendant tout un temps, j'étais malheureux comme tout, je n'aimais rien, moi surtout, je ne pouvais pas me supporter. » « Tu ne t'aimes toujours pas », dit alors Laure. « Tu crois ? Oh, je ne sais pas ! » dit Pierre.

Laure s'est réveillée, dans l'odeur de la petite maison où ils ne vont plus. D'abord elle cherche la fenêtre, ne la trouve pas, s'étonne ; puis tout se remet en place, devant elle la reproduction encadrée de Rouault (une silhouette orange et violette à genoux sous un ciel vert foncé), puis la porte du couloir, et la fenêtre à gauche. De nouveau l'image de la petite maison lui revient. Une nuit d'été, où elle ne dormait pas (son frère l'avait réveillée par ses pleurs, puis il s'était rendormi), elle avait entendu dans le noir la voix de ses parents, celle de son père basse, pressante, et celle de sa mère, plus haute, comme un chant. « Oh oui, disait son père, oh oui ! » Elle avait jeté un regard vers le lit de son frère, qui n'avait pas bougé. C'est le store, pense-t-elle, l'odeur du store qui fait revenir ces souvenirs. Elle devrait se lever, si elle reste encore couchée, elle aura mal à la tête.

Tout en surveillant l'eau qui monte et frémit dans la bouilloire, elle regarde par la fenêtre les enfants du gardien qui tournent à bicyclette dans la petite cour. Il est près de midi, Pierre n'a pas téléphoné. Elle boit une tasse de thé, lisse de la main la surface de la table pour en ôter les miettes de biscotte, aperçoit dans la fenêtre ouverte le haut bronzé de sa gorge. Elle se dirige vers la salle de bains lorsque le téléphone sonne. Elle ne s'est pas assise, elle tient l'appareil dans sa main. « C'est moi, dit Pierre, j'ai

juste deux minutes, comment as-tu dormi ? » Laure
ne dit rien. Pierre n'attend pas : « Mon petit, dit-il,
j'aurais tellement voulu rester. » Laure ne répond
toujours rien. Elle regarde autour d'elle la pièce
calme, bien rangée, abritée de la chaleur par les stores
clairs ; la table de noyer, la petite bibliothèque, les
reproductions au mur. « Tu m'entends ? » dit la voix
de Pierre. « Oui, dit Laure, je suis là. » « Qu'as-tu,
tu es fâchée ? » « Non », dit-elle. Non, elle n'est pas
fâchée, elle essaie de se défendre contre cette voix
chaude, grave, basse, contre cette voix seulement,
et rien d'autre, comme s'il y avait dans cette voix
non pas un danger, pas même une menace, mais
quelque chose qui ne va pas avec les meubles bien
rangés et les murs clairs de cette pièce. « Non, dit-
elle, d'une voix tendre qui ne correspond pas exactement à ce qu'elle ressent, j'ai seulement un peu mal
à la tête. » Disant cela, elle pense qu'elle a manqué
tout à fait de courage. Elle s'étonne alors de s'entendre demander aussitôt après : « Est-ce que tu viens,
cet après-midi ? » « Non, dit Pierre, je ne peux pas,
il faut que je conduise Bruno chez le dentiste. » Laure
pense à son frère Jacques, à la maison de Nantes,
elle entend les pleurs d'un enfant et la voix de Nicole :
« Jacques ! Tu n'oublies pas le dentiste ! » Cette voix
assurée, impatiente, légitime. Un silence. « Je ne me
suis pas lavé, dit Pierre. Pas encore. J'ai gardé toute
la nuit ton odeur sur moi. » Son odeur ? Ce rappel
amoureux choque Laure ; elle se sent froide, lointaine. La voix de Pierre revient, plus pressante : « Ne
sois pas fâchée, je t'en prie. » Un grésillement la couvre. « Je t'aime tant, si je pense que tu es fâchée,
je n'ai plus envie de rien, je suis paralysé, mort. »
« Non, dit-elle fermement (et cette fois c'est vrai),

je ne suis pas fâchée. Je vais sortir. » « Moi aussi »,
dit la voix de Pierre soudain joyeuse. Son ton s'élève,
éclairci, allégé. La lueur nocturne, délétère, sensuelle,
a disparu. Et en même temps, quelque chose entre
eux se rompt, leur appartenance commune au monde
secret, au monde de la nuit. « A cinq heures, dit-il,
j'ai rendez-vous avec le censeur. Un samedi, tu imagines. » « Bertoin ? » dit-elle. « Non, le nouveau,
Samson. Mon petit, je t'embrasse tant. »

Il a raccroché. Elle écoute un moment la sonnerie rapprochée de la ligne, regarde ses pieds bronzés
sur la carpette. « Je suis triste », dit-elle tout haut.
Le son de sa propre voix la surprend. Puis : « Et
aussi j'ai faim. »

3

Par-delà les nécessités de la séparation et comme pour restaurer magiquement une continuité que tout contribuait à morceler, le téléphone jouait dans leur vie un rôle quasi organique, celui d'un conduit vital, nécessaire à la sécrétion et à l'écoulement d'une humeur, jusque dans leur imagination et dans les représentations qu'ils s'en donnaient mutuellement (parfois pour en rire, le plus souvent pour s'en plaindre) : cordon, membrane, vibration, distance, échauffement, froideur. « Je te sens si proche », disait la voix de l'un. Ou au contraire : « Pourquoi t'éloignes-tu ? » ; puis ils se réconfortaient d'un mot, rassuré chacun par la présence fictive de l'autre, que suscitait la chaleur de l'ébonite contre leur oreille, apportant à la voix lointaine un substitut émouvant de l'haleine.

Cependant quel que fût le degré de l'échange et la qualité du rapprochement, il fallait toujours "couper" : « Allez, il va falloir que je coupe », disait Pierre. C'était toujours Pierre qui "coupait", de même que, pour d'autres raisons, c'était toujours lui qui téléphonait. Elle l'accepta, on peut dire, de bon gré, durant longtemps, comme s'il avait été naturel qu'étant un homme il eût en tous domaines l'initiative.

De toute manière, il y fallait de la force, du courage, de la décision, et Laure n'en avait guère : un échange si violent ne pouvait être interrompu que violemment. « Allez, je coupe », disait Pierre, ou « On arrête. » Parfois, c'est qu'ils étaient fâchés, ou sur le point de l'être, et qu'il valait mieux éviter un début de querelle qu'ils n'auraient de toute façon pas le temps de développer, encore moins celui d'apaiser, ce qui leur promettait bien des heures de tourment solitaire. Couper, c'était aussi nécessaire que de se réveiller et de suspendre cette continuité trouble, sensuelle, qu'avait merveilleusement établie à distance la liaison électrique, prolongement parfait de la liaison charnelle, voix basse, rêve partagé, sommeil diurne, bercé par le frémissement discret du souffle, le chuintement de la respiration sur les lèvres humides, un bruit de langue, une toux.

Plus prosaïquement, il arrivait aussi que Pierre fût obligé de "couper" à cause d'une circonstance extérieure : entrée d'un enfant, voisin venu rapporter un sécateur, coup de sonnette à la porte, passage du facteur, retour inopiné d'Annie partie faire des courses et qui avait oublié son porte-monnaie ou son carnet de chèques. S'il en avait le temps, Pierre prévenait « Je te le dis tout de suite, je risque à tout moment d'être dérangé », mais si l'urgence était plus grande et l'intrusion inopinée, il se taisait, Laure comprenait vite. Il reprenait plus bas : « Oui, je vais couper, je te rappellerai. » Dans ces moments-là, sa voix était profonde, comme tendue par la contrariété, la surexcitation du danger, et un réveil de la passion empêchée. Il lui arriva même, une ou deux fois, d'être contraint de raccrocher brutalement, laissant Laure désemparée, furieuse, au bord des larmes. Le pire était d'imaginer Pierre surpris auprès de la table ou de l'étagère, faisant semblant de changer le téléphone de place (« j'avais peur qu'il ne tombe ») ou de chercher quelque chose dans le carnet d'adresses ; Pierre à court d'excuses (« j'ai décroché, c'était une erreur »), avec ce geste qu'elle lui connaissait, de passer deux fois la main dans les cheveux, puis une sur la bouche et le menton, comme pour en étancher la sueur, et qui disait son embarras, sa gêne, sa peur d'être découvert et plus encore sa honte d'être lâche.

En baissant la voix pour parler à Laure, Pierre obéissait autant aux exigences de la passion, qui ne s'accommode pas de la vive clarté du jour, qu'aux nécessités dictées par la prudence et le respect des siens. De ce mixte de ''passion contenue'' et de ''prudence adultère'', Laure ne sut jamais démêler la composition exacte, comme elle ne sut jamais entrer dans les raisons de Pierre, les imaginer ou les comprendre. Lorsqu'elle le découvrit prudent, elle se contenta de s'en offusquer, et d'y lire l'aveu de sa faiblesse. Car elle avait dû cette découverte non pas aux progrès de la lucidité mais à ceux du désenchantement et à la naissance dans son cœur d'une sorte de mépris pour son amant, qu'elle se mit dès lors à guetter, à surprendre et à juger sans indulgence. Et elle ne devina jamais que si Pierre parlait bas quand il lui téléphonait, c'était aussi par une sorte de goût sensuel pour le retour feutré de sa propre voix dans son oreille, pour l'émotion que celle-ci faisait naître dans son propre corps autant que dans celui de sa maîtresse.

Par parenthèse, que l'emploi de ce terme leur causa de tourments ! Pierre en usait parfois avec une solennité désuète, comme un rappel littéraire, comme la citation d'un mot, et donc des mœurs, d'un autre âge, faisant référence à un type de liaison plus conventionnel et plus cynique que n'était la leur, ou peut-être au contraire plus chevaleresque. Laure, qui pour sa part n'aurait jamais songé à nommer Pierre son amant lorsqu'elle pensait à lui ou lorsqu'elle parlait de lui à son amie Ghislaine, n'était jamais parvenue à débarrasser le mot de maîtresse des images triviales qui la renvoyaient aux conversations entre hommes, aux confidences des représentants de commerce dans l'arrière-salle des cafés. Mais il avait en même temps perdu pour elle la secrète beauté que Pierre entendait lui restituer en l'appliquant à Laure, du reste toujours précédé d'un adjectif qui en augmentait l'aura (« ma belle maîtresse »), même si de toute évidence, dans l'emploi caché qu'il en faisait en lui-même, Pierre retrouvait une fierté moins noble, une satisfaction virile plus commune, celle de n'être pas un homme enfermé dans la stricte observance des liens du mariage. « Je suis Laure, disait-elle, un point c'est tout. » « Mais oui, bien sûr », disait Pierre et pendant quelques semaines il n'y recourait plus, sauf dans le secret de son cœur et du lit conjugal, sentant contre lui la hanche tiède de sa femme, tandis que montait dans tout son corps le sentiment

30

délicieux (et si rarement satisfaisant) de sa duplicité.

Lorsque donc, au téléphone, il lui arrivait de prévenir Laure en lui disant d'emblée « Je vais être obligé de couper », dans ces cas-là, justement, il ne coupait jamais brutalement (sauf, on l'a dit, à une ou deux occasions), car il n'est pas d'aveu plus transparent d'un échange illicite. Dans ces cas-là, il continuait de parler : simplement il élevait la voix, changeait de ton (cet enjouement, cette jovialité factice ! Laure en était atterrée), entamait des sujets oiseux, inattendus, où faisait son apparition un ''vous'' cordial et anonyme qui blessait Laure plus que tout le reste. (Sans doute fallait-il ensuite s'expliquer quand même, pensait Laure. « C'était ce raseur de X... Impossible de le couper. ») Et il continuait la conversation par quelques formules de froide politesse qui tiraient brutalement Laure de son rêve et la ramenaient à une vue à tous égards plus juste de leur situation. Le pire était qu'alors il lui semblait voir Pierre tel qu'il était ''vraiment'', tel que les autres le voyaient, dégagé des masques que la passion et leur entente secrète lui faisaient porter, débarrassé de cette voix chaude, nocturne, privée, rendu maintenant aux apparences normales d'un homme qui n'a rien à cacher, qui répond au téléphone à un ''collègue'' ou à un parent : un homme simple, jovial, sympathique, quelqu'un dont on disait dans les réunions de parents d'élèves, dans les conseils de classe ou aux repas de famille, « Il est bien, Seguin », « C'est un chic type, Pierre ». Était-ce donc cela la ''vraie figure'' de Pierre ? Longtemps Laure avait cru être seule à détenir son secret ; seule à savoir que l'image qu'elle avait de lui, et qu'elle était seule à connaître, était la véritable. Mais la lucidité et le désenchantement aidant, elle se dit que Pierre justement montrait à tout le monde, sauf à elle, son être véritable : elle se trompait également dans les deux cas. Dans le premier, en obéissant à la fiction commode qui fait de la passion le révélateur secret des êtres ; plus gravement peut-être encore, dans le second cas, en imputant à Pierre, par une méchanceté secrète et une rancœur inavouée, comme sa "vraie nature", les signes de faiblesse et de banalité qu'elle découvrait chez lui. Et cette deuxième erreur était peut-être plus difficile à déjouer que la première, car nous attribuons toujours plus de vérité aux traits rebutants ou seulement déplaisants de ceux qui nous sont proches, comme on croit qu'un remède est plus efficace parce qu'il est plus amer. Ainsi la découverte des défauts de ceux que nous aimons nous fait une fois de plus conclure à l'aveuglement général de l'amour, et à notre propre cécité passée, qui nous accable, lorsqu'elle a cessé de nous remplir de fierté, et que nous avons oublié le temps où nous trouvions flatteur d'être dupes par amour.

Des épisodes entiers de la vie cachée de Pierre se révélaient ainsi à ses yeux, et à ceux de son imagination, qui pouvait du reste travailler tout à son aise, ses inventions n'étant jamais soumises à contrôle ou à vérifications. Elle se faisait ainsi des portraits de Pierre dans une intimité qu'elle ne partageait pas : Pierre mal rasé, en pyjama déboutonné, Pierre assis sur le bras du canapé, tandis qu'il répond distraitement au téléphone à un père d'élève ou au frère de sa femme, pensant « tiens, il faudrait que je me coupe les ongles des pieds », Pierre bâillant, le téléphone coincé contre son épaule, tandis que par la porte de la cuisine vient l'odeur du café, du pain grillé, se mêlant à celle d'un intérieur qu'on n'a pas encore aéré, et où tout le monde a dormi, le chien compris.

Mais tout valait mieux - tout, plutôt que les deux reprises où Pierre raccrocha sans un mot et où elle resta quelques minutes incrédule, croyant à une panne, gardant contre l'oreille l'appareil inutile où la sonnerie rapide battait, comme un commentaire ironique de son délaissement : et à chaque fois, lorsqu'elle reposa l'appareil sur son support, sa colère était aussi forte que son chagrin.

De toute manière, si tranquilles qu'ils fussent (Pierre ayant par exemple choisi l'heure de l'après-midi qui précède le retour de l'école), si absorbés dans l'évocation, le rappel ou l'attente de l'étreinte (qui représentait, il faut le dire, la majeure partie de leur conversation, quand celle-ci n'avait pas pour simple but de fixer ou de déplacer un rendez-vous), il fallait bien d'une manière ou d'une autre y mettre un terme. Ils feignaient alors toujours de devoir s'en remettre à l'autre (même si c'était au bout du compte Pierre qui imposait la rupture fatidique) ou de reprocher à l'autre une prolongation indue. Souvent (s'il était seul, et vraiment sûr que personne ne viendrait le déranger) il arrivait que Pierre rappelât Laure aussitôt. Elle riait : « Je savais que c'était toi. » Et ils restaient sans rien dire, la bouche chaude collée au récepteur (et même après avoir raccroché, ils gardaient quelque temps l'ébonite tiède contre leur joue ou sur la veine battante de leur cou). Il fallait pourtant que le jeu s'arrête ; et ils erraient alors çà et là dans l'appartement, chacun de leur côté, la tête lourde, le cœur déchiré. Un jour, le téléphone sonna chez Laure juste après Pierre : « C'est toi, dit-elle tout de suite, je savais bien. » Mais ce n'était pas lui, ils en rirent longtemps. Parfois, dès le premier coup, elle décrochait, c'était son heure, et elle disait : « Oui », seulement, et il faisait de même et ils étaient comme les fidèles d'un culte d'adoration. Il la rappelait parfois dans la nuit, une autre fois encore vers trois heures du matin (elle ne se demandait pas comment il avait pu le faire) et elle disait : « Oui, oui » encore, alors qu'il avait déjà raccroché.

S'ils en faisaient tous deux le même usage amoureux (que Pierre tentait même parfois de prolonger un peu au-delà des limites de bienséance que Laure lui avait définitivement assignées), la place même de l'appareil traduisait à l'évidence la différence de leurs situations respectives. Avant qu'on rallonge le fil et qu'on établisse une prise dans sa chambre, Laure tentait seulement de rapprocher le combiné de son lit. Mais chez Pierre, où était-il ? Elle avait appris incidemment qu'il n'y avait qu'un poste, dans la salle à manger. « De toute manière, avait-il ajouté un peu énigmatiquement, je me lève toujours tôt », remarque dont, sur un autre plan, on pense bien que Laure avait aussitôt fait tout son profit. Dans l'ancien appartement de la rue des Minimes (qui occupait le petit côté d'un trapèze, reste de la forme d'un monastère du même nom détruit à la Révolution) où Pierre habitait dans le début de leurs relations, il était accroché dans l'entrée, au-dessus de la planchette de l'annuaire : sur cette même entrée donnaient la cuisine et la chambre où dormait le bébé (Françoise, qui venait de naître). Chaque sonnerie la réveillait ; ils le firent déplacer, ce qui ne facilitait pas les

échanges de Pierre et de Laure, bien au contraire :
la pièce commune où on le brancha était située au
cœur de l'appartement, les autres pièces y donnaient,
il fallait la traverser pour aller à la salle de bains.
Du reste, de tout cela (comme de beaucoup d'autres
choses) Laure ne sut jamais rien.

Le téléphone leur servait évidemment aussi (cet
usage était réservé exclusivement à Pierre) pour fixer
une rencontre imprévue ou le nouveau lieu d'un
rendez-vous, ou pour se décommander. A cause de
cela, Laure se prit à redouter d'entendre sa sonnerie, car c'était par lui que l'imprévu allait entrer dans
leur ordre si réglé. Qu'il s'agît d'annoncer un rendez-
vous supplémentaire était à peine moins dérangeant
(et finalement à peine moins triste) que d'en suppri-
mer un, car c'était toujours attenter au patient et
précaire équilibre que Laure s'était construit, au
système fragile et compliqué de compensations
psychologiques qu'elle avait mis en place pour accepter que Pierre fût absent. Soudain, inexplicablement,
à un moment où tout justifiait qu'il ne fût pas libre,
il l'était : et Laure se penchait sur un abîme, sur les
profondeurs inconnues de la vie qu'il menait là-bas,
sentant confusément quelle menaçante liberté Pierre
aurait trouvée s'il l'avait voulu, et combien profondément il avait accepté des chaînes qu'un rien suffisait à desserrer mais que sa seule volonté contribuait
à maintenir. En même temps, si joyeuse qu'elle fût
de le revoir, ou qu'il se fût "libéré", elle savait bien
qu'on n'est pas moins enchaîné, quand on "se
libère", quand "on trouve cinq minutes", que
lorsqu'on est contraint de ne pas quitter la maison.

35

Car, en modifiant l'heure ou la date d'un rendez-vous, Pierre transformait jusqu'à l'image du temps qu'il avait imposée, celle d'une vaste surface glaciale, rigide, pourvue de quelques emplacements de liberté, comme une banquise est trouée de puits d'eau vive. Soudain, tout se mettait à flotter. Rien n'était plus nécessaire : tout aurait pu arriver. Mais il n'arrivait rien. C'était "cinq minutes" qu'on "avait trouvées", voilà tout.

De plus, l'ordre que Laure s'était imposé symétriquement à celui que Pierre respectait, se voyait ébranlé, fissuré : elle avait déjà trouvé l'emploi d'un temps que Pierre avait décidé de ne pas lui consacrer (ou n'avait pas pu lui consacrer). En se libérant à la dernière minute (aux dépens d'une après-midi qu'il lui restituerait le lendemain, et qui allait donc se trouver vide, puisqu'ils auraient dû la passer ensemble, avant ce changement de dernière heure), Pierre l'obligeait et à remettre ce qu'elle avait prévu (une visite à Ghislaine, une séance chez le coiffeur) et à trouver de quoi "meubler" (ce qu'elle avait en horreur) une après-midi brutalement abandonnée. Il arrivait à onze heures, à une heure où elle aurait dû partir chez le coiffeur, ou déjeuner avec Ghislaine. Et il fallait se remettre au lit (pour parler crûment) au milieu de la journée, alors qu'elle s'était levée tard, prévoyant une après-midi solitaire et libre. Quant à la future demi-journée qu'il lui rendait, elle n'en voulait pas : c'était comme un gouffre, un trou irréparable dans le tissu du temps. Et pour finir, lorsqu'en fin de journée, ces périlleux réajustements avaient fatigué Laure en la contraignant à une réversion acrobatique de ses sentiments, la voix de Pierre (qui croyait bien faire en l'appelant au téléphone pour se féliciter de cette rencontre supplémentaire ou s'assurer qu'elle ne lui tenait pas rigueur de telle modification dans leur programme) la rejetait plus profondément dans sa douleur, parce que son timbre chaud et sa passion contenue achevaient de réveiller tous les désirs, et n'en contentaient aucun.

Ce qu'en revanche Laure ne connut pas, et qui devenait parfois pour Pierre une hantise exténuante, la cause d'accablantes organisations de son temps et l'occasion de mille mensonges enfantins, c'était la nécessité de téléphoner de l'extérieur. Elle ne le connut pas, et du reste ne l'aurait pas compris. Il n'y avait pas beaucoup de téléphones publics à R., et Pierre ne voulait pas courir le risque d'être exposé aux carrefours dans le bloc violemment éclairé d'une cabine, toujours à la merci d'une surveillance involontaire, d'un rapport, d'une médisance, d'un soupçon. Il valait mieux appeler d'un café, mais la plupart étaient fermés le dimanche, tous ne disposaient pas d'une cabine, et quand il y en avait une, elle était généralement en sous-sol, proche des toilettes, sale, encombrée, malodorante, sans air et salie de graffiti. Ou bien alors c'était un simple abri de contreplaqué ou d'isorel, d'où l'on entendait la conversation du café et le sifflement des percolateurs, et Pierre, malheureux, le cœur serré, le dos courbé sous le couvercle impitoyable, tâchant de ne pas voir, parmi les numéros de téléphone griffonnés à la hâte, les symboles obscènes qui lui semblaient comme une allusion sans détour à la nature de leurs relations, répondait au hasard aux questions de Laure, dans l'odeur brutale du désinfectant et le parfum de moisi de la cave voisine. Est-ce que Laure comprenait qu'il n'était pas toujours aisé de parler d'amour, ou d'approfondir la nature exacte de leurs sentiments dans la proximité infamante d'une latrine mal soignée, où il entrait des militaires souvent éméchés, ou des mères hagardes tirant par la main un enfant hurleur et déjà souillé ?

Parfois le garçon se contentait de faire glisser vers Pierre (ou de lui indiquer de la tête) un appareil graisseux où le défilé des bouches avait laissé de minuscules débris de tabac et une odeur tenace. Les yeux désespérés de Pierre fuyant le regard ironique ou indifférent du garçon, allaient de la rangée des bouteilles suspendues à l'envers aux paquets de cigarettes alignés derrière la vitre de la recette buraliste, et ils revenaient avec une obstination machinale vers le distributeur de bière qui laissait couler une mousse compacte à la couleur et aux relents déplaisants. De toute sa force, il tentait d'écarter l'ébonite sale de son oreille : « Tu ne m'écoutes pas », disait Laure. « Si, disait Pierre, mais si », ajoutait-il dans un accès de tendresse irritée. Il achetait des jetons à l'avance, pour ne pas être pris au dépourvu, mais cet appareil-là n'en acceptait qu'un seul type, celui qu'il n'avait justement pas, et il sentait le désespoir monter en lui quand, après avoir sorti de sa poche les jetons plats et les jetons fendus, ceux d'étain et ceux de métal blanc, il entendait tomber de la bouche dédaigneuse du garçon « le téléphone est réservé aux consommateurs ». Alors, pour ne pas avoir à chercher ailleurs, parce qu'il pleuvait ou que c'était le dimanche de la Toussaint, il se faisait servir un quart Vichy ou un Dubonnet qu'il ne finissait pas. Et puis il y avait les appareils récalcitrants, ceux qui gardaient la monnaie sans donner la ligne, les cabines dont il voyait de loin sortir une femme exaspérée, et il finissait par descendre avec soulagement les marches du sous-sol d'un café sordide à l'invitation tonitruante du patron : « Allez-y, ça marche ! », évitant de justesse les crocs jaunes d'un chien de berger mal endormi. Et lorsqu'il lui arrivait de rentrer chez lui, misérable, après des efforts vains, il savait bien que Laure ne croirait pas à son véridique « je n'ai pas trouvé de cabine », « le téléphone était cassé » et qu'elle y lirait toujours une défaite commode, une marque de son mauvais vouloir et le signe véridique, hélas, de son asservissement. Il faut dire aussi, à la décharge de Laure, qu'en quatre ans c'est tout juste si elle avait osé appeler deux fois Pierre, chez lui.

4

Raccrocher le téléphone, la tête lourde, retourner à la cuisine; achever de ranger la chambre; s'habiller, faire les courses; partir pour la bibliothèque; sentir s'évanouir lentement la douleur sans cause qu'elle a ressentie tout à l'heure; voir lui succéder, sans plus de raison, le sentiment allégé d'une attente gaie, une confiance nouvelle (bien qu'elle l'ait sûrement déjà éprouvée, c'est du moins ce qu'il lui semble), et quand le soir tombe, sentir revenir avec lui le sentiment de tristesse difficilement évacué le matin : il semble à Laure qu'elle a déjà cent fois parcouru ce chemin. Elle voudrait s'interdire cette pensée décourageante, mais elle ne le peut pas. Elle parvient à se secouer (c'est son mot); elle n'y pense plus. Cependant, quelque chose de nouveau est apparu en cette rentrée de septembre, la quatrième depuis le début de leur liaison (liaison est un mot que Laure n'aime pas, qu'elle trouve trivial ; elle imagine, non sans honte, que c'est celui qu'utilisent pourtant les collègues de Pierre, s'ils sont au courant, son amie Ghislaine, ses cousins, et probablement son frère Jacques, les uns par manque de délicatesse, les autres de vocabulaire et tous, généralement, parce qu'ils n'ont pas les mêmes motifs qu'elle pour chercher un mot plus conforme à la haute idée qu'elle se fait de ses rapports avec Pierre). Et cette chose nouvelle, la voici : pendant longtemps (en fait, se dit-elle, jusqu'à aujourd'hui) les difficultés qu'ils ont rencontrées lui ont semblé de nature provisoire ; bientôt, ''un jour'' tout serait différent, demain peut-être. Maintenant elle a le sentiment que non : tout ce temps écoulé lui apparaît sous un jour affreux ; et la même lumière éclaire celui qui l'attend. Ce qu'elle a pris jusqu'à maintenant pour une circonstance passagère de leur entente, en est la vraie nature : jamais ils ne connaîtront autre chose.

Pensant cela, Laure est gagnée par un abattement insurmontable. Le pire est que, plus elle en souffre, plus elle est certaine qu'elle a raison. S'enfoncer dans la douleur, c'est s'enfoncer dans la vérité. « C'est la lumière qui fait mal », pense-t-elle encore, non sans grandiloquence.

Mardi 8 septembre 1976 : il est huit heures et demie ; elle accroche au porte-manteau sa veste imperméable et jette un regard rapide sur le courrier. Quelques paquets sont arrivés hier soir après son départ. Elle s'assied à la longue table, ouvre une boîte de fiches, la referme. Un peu de soleil entre par les

hautes fenêtres, l'odeur des livres l'apaise, une matinée silencieuse l'attend. Vers dix heures, Claire, sa
collègue, arrive. C'est convenu, elle restera ce soir
après le départ de Laure, elle aime mieux arriver plus
tard le matin, à cause de son petit garçon. Laure est
assise, dans la lumière droite. Depuis quatre ans
qu'elle l'exerce, Laure ne sait toujours pas si elle aime
son métier. Qu'est-ce que cela veut dire d'ailleurs ?
Dans la famille de Laure, avoir un bon métier, c'est
éviter des tâches rebutantes ou ingrates, travailler à
l'abri, conserver son emploi longtemps, et compter
sur une retraite convenable. Que la tâche elle-même
soit monotone, fastidieuse, et même faiblement rétri-
buée, cela ne compte pas. En ce sens, alors, le métier
que Laure exerce est un bon métier. Mais l'aimer,
c'est une autre affaire. Elle aime le silence, coupé
de passages furtifs. Elle aime moins les mercredis
bruyants encombrés d'enfants désœuvrés, dont les
éclats de rire font fuir les retraités venus consulter
au chaud les journaux et l'ancien instituteur qui remplit ses fiches d'une écriture parfaite. Parfois, elle
ressent un sentiment de vide ; mais elle a toujours
aimé s'occuper des livres. Elle n'aurait cependant pas
aimé les vendre, il lui suffit d'avoir avec eux un contact extérieur, comme celui d'une infirmière avec ses
malades : les prendre, les classer, les ranger, parfois
leur donner un point de colle, bien suffisant avant
de les renvoyer à la reliure. Laure regarde son profil
que la fenêtre de gauche lui renvoie, et qui se super-
pose aux rayonnages de livres. Claire a sorti un
numéro de *Elle* et le feuillette ; elles se sourient. Claire
l'aime bien, parce qu'elle est calme, silencieuse.
Cependant, Laure sait au fond d'elle-même qu'aux
images sages qu'on a d'elle, intérieurement, elle

n'adhère pas ; sa passion pour Pierre, leur "entente" n'y répondent en aucune façon ; un secret se cache en elle, brillant derrière une surface lisse. Autre chose est en elle, elle le sent, qui est différent. Mais quoi, elle ne le sait pas.

En juin dernier, il était très vite apparu à Laure que Pierre ne serait pas tout à fait « aussi libre » qu'il l'avait cru. Laure, l'ayant deviné, s'en ouvrit au téléphone à Ghislaine. Celle-ci lui proposa aussitôt de "les" accompagner (elle et son nouvel ami) en Sicile, où ils camperaient. Laure refusa, mais elle en parla à Pierre. « Où cela ? » dit-il. « En Sicile », dit Laure. « J'aurais tant voulu y aller avec toi », dit-il. Ce mot était peut-être de trop. Cependant Laure fut sensible à la tristesse du ton, où se lisaient le devoir de renoncer, la force des engagements pris, une honnêteté foncière qui (bien qu'en la circonstance, elle n'en fût pas la bénéficiaire) était forcément de bon augure pour Laure. Pierre fit un silence, afin de ne pas se laisser entraîner dans une conversation qui ne les mènerait à rien ; et cependant il laissa apparaître en guise de conclusion un peu de révolte et d'amertume dans sa voix : « Oui, j'aurais tellement aimé », dit-il. Ils venaient de prendre le café, on était le 25 juin, il faisait très chaud, et Pierre essayait de retirer l'étiquette d'une boîte de biscuits. Laure eut un élan de compassion, et posa sa main sur les cheveux de Pierre : « Cela ne fait rien, dit-elle, viens. » Pierre n'attendait que cela, il ferma les yeux et sans se lever tendit vers elle son visage et ses lèvres, où elle posa les siennes avec une grande ferveur. Il était trois heures ; ce début d'été était brûlant, orageux. (Ils finirent tout de même par s'endormir ; lorsqu'ils se réveillèrent, ils étaient en sueur, et les stores jetaient sur le plancher une ombre cannelée. L'odeur de la chambre était presque celle d'une chambre d'hôtel en plein midi, étrangère, angoissante, parfumée. « J'ai soif », dit Pierre, et c'est exactement ce qu'il aurait dit à Rome, à Palerme. Et il ajouta, comme pour commenter une décision dont ils n'avaient pas encore parlé : « Je travaillerai, je vais m'y mettre, cet été, c'est sûr. » Il avait encore sur le dessus de la main l'étiquette des biscuits. Laure l'enleva : « 7,50 ?, dit-elle, tu ne vaux pas cher. » « Je le sais, dit-il, tu as bien raison, parfois je le crois aussi. » Puis il roula vers elle, et plaça ses yeux tout près des siens. « Je ne te vois pas, dit-elle, à cette distance, je ne te vois pas. » « Moi non plus, dit Pierre, mais je te sens, j'aime ton odeur. » Elle passa doucement sa main sur le dos tacheté de son, roux, brûlant. « On dirait que tu as la fièvre », dit-elle. « Je vais prendre une douche », dit Pierre.)

Ils se revirent une dernière fois, au début de juillet, juste avant le départ de Laure pour son stage à N. « Et fin juillet ? » dit-elle abruptement (elle s'était promis de ne rien dire, mais elle ne put retenir ces mots). « Non, fin août peut-être, dit Pierre, encore que j'aurai les enfants toute la journée sur les bras. Ils partent à la colonie en juillet. » « En juillet ? » Laure sentit un grand froid. En juillet, donc ainsi, ils seraient seuls, lui et Annie, à Guérande. Guérande ou Croix-de-Vie ? Quelle importance. « Tu as de la peine ? » dit-il. Il l'avait prise dans ses bras, il la serrait contre lui, lui baisant le cou. « Tâche de quitter ton stage deux jours plus tôt, murmurat-il, j'aurai du temps à la fin de la semaine prochaine. » Elle ne répondit rien. « Ne pleure pas, disait

Pierre, oh, surtout, ne pleure pas. » Il lui caressait les joues, elle sentit sa douleur décroître. Elle n'avait que lui pour la réconforter et la consoler, même du mal qu'il lui causait. Et lui aussi souffrait en même temps qu'elle, c'était sûr, les larmes de Laure lui étaient intolérables. La consolation qu'il apportait à Laure l'obligeait ainsi à se dédoubler : et sa propre douleur finissait par devenir abstraite, fictive. Il la tenait à pleins bras, et se mit à embrasser et à lécher son visage gonflé, ses yeux ruisselants. Tout à coup le souvenir lui revint de Babeth (l'infirmière) qui tendait vers lui (dans l'entrée tapissée de papier peint avec le baromètre au mur) ses grosses lèvres peintes et sa langue rouge, toujours imprégnées d'une salive abondante. Il avait glissé ses mains dans la chemise de Laure, enfonçait ses lèvres dans les siennes qui s'ouvraient, humides, gonflées de larmes, tandis qu'elle poussait encore de petits sanglots. A son tour Laure l'avait saisi par le cou, et l'embrassait à pleine bouche, tâchant de puiser dans ce baiser la résolution qui lui faisait défaut. Petit à petit, elle finit par se convaincre : après tout, leur bonheur n'était-il pas si grand qu'il importait peu par exemple d'aller ou de ne pas aller en Sicile, cet été-là, ensemble? Ils avaient gagné la chambre, on ne sait comment, sans y voir, sans se lâcher. Ils se relevèrent un peu plus tard, honteux, heureux, épuisés, et ils prirent une douche ensemble, les yeux fermés dans la mousse parfumée du savon. Un peu plus tard, lorsque Laure referma sur lui la porte, il n'y avait plus aucun nuage entre eux.

Le stage commençait un lundi, Laure arriva le

dimanche soir, vers la fin de l'après-midi. On avait réservé pour elle une chambre sur le port, et lorsqu'elle ouvrit ses fenêtres, la mer entra d'un coup dans sa chambre. Vers l'ouest, une traînée de nuages fumeux virait au rouge, de courtes vapeurs montaient à l'horizon, tandis que dans l'estuaire du fleuve, des rangées de grues se découpaient en noir. Une activité violente, incessante et comme désordonnée lui sauta au visage, quelque chose de bruyant et de vrai, quelque chose d'essentiel, en regard de quoi il lui parut confusément qu'elle vivait dans la futilité et le mensonge, dans un excès de bonheur et de mélancolie privés. Ce qu'elle avait quitté lui parut soudain d'un poids dérisoire devant cet univers tout entier occupé de choses sérieuses : ces hommes en sueur, ces grues, ces sacs jetés en tas, ces cargos ouverts, bâillants. Le soleil jetait encore, malgré l'heure tardive, sur la tôle des voitures, sur le flanc des navires, sur le toit des hangars, une poussière de lumière jaune qu'emportait l'élan du vent marin, balayant tout. En comparaison de cela, et de ces vies que rythmait un travail puissant, sauvage, l'amour dont elle portait avec elle partout le secret et le poids n'était rien d'autre qu'une de ces "aventures" telles qu'en vivaient en ce moment une caissière et l'un des magasiniers du port, son "secret" n'était pas d'une autre nature, et cela n'était rien face à la marche ordonnée et puissante du monde : rien qu'une petite entorse, une petite déviation dans le grand ordre que tous s'entendaient à observer, à respecter. Tous étaient d'accord : c'était visible, tous se liguaient pour que le secret fût préservé ; et ceux-là mêmes qui le dénonçaient (en colportant des ragots, en laissant filtrer des sous-entendus, voire en expédiant des lettres

46

anonymes), s'ils mettaient à le faire un soin tout particulier (où ils trouvaient sans nul doute aussi leur intérêt), n'étaient en cela que les délégués tacites de la communauté résolue non pas à faire éclater la vérité, mais à l'enfouir plus profondément dans l'obscurité honteuse des liaisons illicites. Un grand consentement fait d'indulgence et de lâcheté entourait cette sorte de choses, appuyée sur une philosophie complaisante qui accordait jusqu'à un certain point une tacite reconnaissance aux "faiblesses" (sûrs qu'on était de devoir en profiter un jour). Et les hommes et les femmes dont Laure observait en ce moment les travaux énergiques, les allées et venues précipitées, continuaient de vivre, lui semblait-il, dans une pénombre propice, toujours au bord du faux pas, toujours protégés contre lui par la vindicte et les sourdes rancœurs de la communauté. "La vie", quoi qu'elle en eût, c'était cela : non pas une revendication croissante contre l'hypocrisie et pour la liberté, mais un équilibre menacé entre les exigences d'un devoir abstrait mais finalement respecté (la continuité, la fidélité, l'éducation des enfants) et celles de la chair, du désir, qu'on s'accordait unanimement à accepter à condition qu'elles ne sortent pas des limites tolérées. Pendant un temps plus ou moins court — la jeunesse, les débuts du mariage — ces deux exigences se confondaient ; bientôt, inévitablement, elles se séparaient, et il fallait tant bien que mal s'en accommoder, "ne rien faire d'irréparable", "sauver les meubles". Ou alors "tout envoyer promener", mais cela, c'était plus dangereux et plus rare et, tôt ou tard, tout était à refaire : il fallait de nouveau inventer de nouvelles modalités d'un compromis aussi ancien que le monde, au bénéfice — ou au détriment, comme on voudra — d'un nouvel associé, d'un nouveau conjoint.

Tels furent en un éclair les termes d'une révélation qui s'était emparée de Laure, découragée, brisée, anéantie, les yeux emplis d'une lumière brillante que ses larmes faisaient scintiller. Laure s'assit sur le pied du lit, entre sa valise ouverte et son sac. Elle ressentait de surcroît une grande douleur au ventre. Que fallait-il faire ? Une question si générale n'admettait pas de réponse individuelle : elle était écrasée. Il lui semblait voir autour d'elle une masse d'hommes et de femmes fatigués, animés pourtant d'une force secrète qui emmêlait leurs membres sur le lit des hôtels garnis, dans des chambres louées à l'heure ou au mois, parfois dans la chambre conjugale avant le retour des enfants. Puis ils se séparaient, douloureusement, et ils rentraient chez eux, l'un et l'autre, d'un commun accord. N'était-ce pas eux qui avaient raison ? Et ne fallait-il pas s'y plier, coûte que coûte ? Les images de leur entente, son secret, sa beauté, tout cela sonnait faux.

L'odeur de la mer et la vue des grands oiseaux blancs qui planaient au-dessus des eaux claires la calmèrent, elle se retourna sans se lever ; derrière elle, dans la porte de l'armoire à glace, le ciel et la mer formaient deux bandes d'un bleu délicat, la mer un peu plus verte, le ciel un peu plus blanc. Et lorsqu'elle ouvrit la porte de l'armoire pour accrocher sa veste, la lumière reflétée rejoignit celle de la fenêtre, isolant au milieu le lit comme une barque. Elle lâcha la porte, repoussa la couverture pour s'étendre, et ses yeux se fermaient lorsque le téléphone sonna. C'était Pierre : « Ma douce, dit-il, tu dormais ? » « Comment m'as-tu trouvée ? » dit Laure. Et il y avait beaucoup de joie dans sa voix. « Quelle chaleur ! dit Pierre. Tu as fait bon voyage ? Je suis vanné, il fait plus de trente, et l'oral a duré toute l'après-midi, je me suis précipité sous la douche en rentrant, je suis complètement à poil, heureusement qu'il n'y a personne. » (La maison, la douche, la chaleur, Pierre assis sur le canapé. Où cela ? Dans sa chambre ? Dans leur chambre ? Un vague reflet de l'ancienne douleur s'approcha de Laure, puis s'éloigna sans l'atteindre.) « Il fait chaud, aussi, dit-elle, j'allais m'endormir. » (L'image revint : Pierre allant et venant, chez lui, nu. Comment le lui dire ? Comment dire sans honte à Pierre « je ne veux pas qu'on (qu'elle) te voie nu ? » Cela, les hommes pourtant le disent bien aux femmes qu'ils aiment, lorsqu'ils vivent séparés d'elles, farouches : « Je ne veux pas qu'il te voie nue. » Elle ferma les yeux.) « Tu es fatiguée », dit Pierre anxieux. « Oui, dit-elle. » « Et, il hésitait, c'est venu ? » « Non, dit Laure, pas encore, mais c'est tout comme. » « Ah, j'aime mieux ça, dit Pierre, je me tourmentais un peu. » Laure avait tourné la tête, et de nouveau elle reçut en plein visage la lumière vive, l'odeur de la mer, et le cri des oiseaux. « Je suis entourée d'eau », dit-elle. « Attends », dit-il. Il revint aussitôt : « C'était la voisine, elle avait un paquet pour nous. » Ce "nous" était-il inévitable ? Laure pensa que non. Rien n'était jamais sûr : à tous moments la terre pouvait manquer sous ses pas, le jour tranquille faire place à l'ombre, à la trahison, au mensonge. Cependant la calme voix de Pierre semblait tout à fait loin de ces angoisses, de ces remuements vains : « Essaie de revenir jeudi, dit-il, nous aurions toute une grande journée à nous, et la soirée aussi, peut-être, je ne sais pas. Mais je te rappellerai. » Une fois encore Laure sentit revenir la vieille angoisse, mais une nouvelle poussée du vent marin dans les rideaux la chassa. « Je vais essayer », dit-elle.

Mais elle n'essaya pas. Elle resta jusqu'à la dernière conférence de stage, qui pourtant ne l'intéressait pas, et que la plupart avaient manquée. Et quand elle arriva à R., le vendredi soir, elle était tranquille. Elle savait que Pierre ne serait pas libre avant au moins deux mois. Elle ferait ses bagages, oui, tranquillement, et partirait deux jours plus tard chez ses parents dans les Landes. Ce qu'elle fit.

Pierre s'étonna de ne trouver personne au téléphone le jeudi soir. Le vendredi, il n'appela qu'une fois, le matin ; en même temps, il dut s'avouer son soulagement. Ce furent ainsi des vacances pour chacun : et Pierre pendant quelques jours sentit qu'il échappait à ce qui l'oppressait. Annie cessa de travailler le samedi midi, Pierre avait lavé la voiture, ils firent les bagages des enfants puis les leurs, et Pierre acheva de vernir un meuble qu'ils destinaient aux parents de sa femme. Annie se pencha vers lui comme ils chargeaient ensemble la commode dans l'arrière de la voiture et le baisa dans les cheveux. « Comme tu sens bon », dit-elle. « Oh, dit Pierre, je pense bien. La sueur, la peinture, le white spirit. » Le surlendemain, ils étaient à Guérande, et Pierre, après le repas, s'étendit dans une chaise-longue. « Où sont les enfants ? » dit-il d'une voix ensommeillée. « Chez les R., dit Annie, ils se baignent. » « Bon », dit-il. « On est bien », dit Annie. Il hocha la tête sans force, le sommeil le gagnait de nouveau. Il sombra.

Le lundi, il eut un sursaut d'inquiétude. Est-ce qu'il n'aurait pas dû insister au téléphone, ou laisser une lettre? Mais pour dire quoi? Pour le déjeuner, la mère d'Annie fit une pintade et une tarte aux abricots; une douce quiétude, des émanations familiales l'entouraient de toutes parts; son angoisse s'évanouit. Finalement, dehors, il avait trop chaud; il monta faire la sieste dans leur chambre; la mère d'Annie, ayant appris qu'il "travaillerait", y avait fait monter une belle table de bois ciré, où elle avait placé un bouquet. Il s'étendit avec volupté. Oui, le temps passerait vite, ils se retrouveraient à la rentrée. Il se sentait doux, fort et patient. Le même soir, la chaleur devint presque insupportable; Pierre n'avait pas sommeil. Un air lourd stagnait dans la chambre tendue de toile fleurie. Pierre se retourna et souffla bruyamment. « Tu ne dors pas? » dit la voix d'Annie. Il ne répondit rien, et ralentit encore le rythme de sa respiration. Il comprit alors qu'Annie glissait doucement contre lui, et venait le toucher de tout son corps chaud; dans son dos, il sentit le contact moelleux de ses seins qui s'écrasaient contre ses omoplates nues. Il ferma les yeux encore plus fort.

5

Pierre savait que Laure n'écrirait pas : lui-même non plus ne chercherait pas à la joindre, c'était mieux ainsi. L'été, une fois de plus, s'étendait devant eux, comme un espace neutre, décoloré. Une fiction tacite voulait que les vacances, "en famille", ne fussent qu'une succession d'"ennuyeuses corvées" sans importance, auxquelles on se soumettait, par devoir, sans en parler. Temps vide, temps mort, au terme duquel on se "retrouverait" comme avant. Pierre s'était assis à la belle table cirée ; il entendait sur la terrasse le bavardage confiant d'Annie et de sa mère. Il se pencha mais ne parvint pas à les voir. Où était Laure ? Était-elle déjà partie chez ses parents ? Ou chez son frère ? Il écarta ces questions. Il avait la tête lourde, il serait bien allé se baigner. Il se leva : en rentrant il ferait quelques courses, il rapporterait

Le Monde. Et il éprouva un vif sentiment de soulagement en pensant qu'il pourrait passer sans remords et sans inquiétude devant le bureau de poste — où ne l'attendait aucune lettre de Laure — devant les cabines téléphoniques — puisqu'il ne savait pas où la joindre.

De fait, ils n'avaient jamais eu de position bien claire à l'endroit de la correspondance. Au début, tantôt ils décidaient — lorsqu'ils devaient être séparés un jour ou deux, une semaine — qu'ils ne s'écriraient pas, que c'était "trop dur" d'attendre des lettres surtout l'été, quand trop de circonstances compliquent leur acheminement — l'engorgement du courrier dans les lieux de séjour, la queue à la poste restante — et ils avaient l'un comme l'autre le souvenir cruel d'après-midi brûlées de soleil passées dans l'attente vaine d'une lettre qui ne venait pas. Parfois au contraire, dans la douleur de la séparation (l'un ou l'autre avait les joues pleines de larmes) ils décidaient qu'ils s'écriraient, parce qu'il ne fallait pas ajouter à la douleur de la séparation celle du silence. « Tu m'écriras, disait-il, tu peux m'écrire chez mes beaux-parents, ou plutôt non, c'est plus simple, écris-moi poste restante, je passe devant tous les jours. » Et Laure s'engageait par un hochement de tête muet, et Pierre poursuivait : « Je t'écrirai, je peux, n'est-ce pas ? » Mais au retour, ils s'étaient tant inquiétés pour rien qu'ils juraient que c'était la dernière fois, qu'il valait mieux, c'est sûr, ne pas écrire.

En juillet 1973, c'était le premier été depuis leur rencontre, ils se quittèrent, haletants, désespérés, et Pierre prit la route après une nuit d'insomnie, les yeux rouges de fatigue. A chaque étape qui le rapprochait d'Annie et des enfants, il jetait à la boîte de courts messages hâtifs et angoissés, sur des cartes postales, avec un vieux Bic trouvé dans la voiture et qui faisait des pâtés aux barres des lettres, aux accents. Jets d'eau dans les massifs de fleurs, laids monuments de province ; fabriques, ponts suspendus : il achetait des cartes au hasard, sans les regarder. « Je n'ai pas dormi, je t'aime, je voudrais mourir, j'embrasse tout ton corps. » Laure ne reçut que la première : elle partait le surlendemain chez son frère. Toutes les autres l'attendaient dans sa boîte, et elle les lut avec un bonheur incrédule et un profond sentiment d'irréalité, car entre-temps ils s'étaient déjà revus, et elle se trouvait comme malgré elle ramenée au début douloureux de l'été, et à un paroxysme de passion que leurs retrouvailles avaient calmé.

L'année suivante, il n'était pas question d'écrire, Pierre devait rejoindre en Italie un couple d'amis. Mais l'année d'après, Laure s'engagea, un peu à contre-cœur, à lui écrire (comme il va de soi, poste restante). A contre-cœur, et cependant elle eût été blessée de ne pas pouvoir le faire. Pierre avait recommencé à fumer, moitié pour calmer l'anxiété où le mettait l'attente des lettres de Laure (compliquée par le fait qu'il ne pouvait tout de même aller à la poste à chaque arrivée de courrier), moitié pour avoir justement une raison de sortir. Mais les horaires étaient incommodes, le bureau n'était pas ouvert à l'heure de la sieste, quand il aurait pu sortir seul. Il lui arrivait donc de laisser Annie faire le marché avec sa mère prétextant les encombrements, la fatigue, la foule. « Va donc », lui disaient-elles comme à un enfant, pleines d'indulgence. « Va donc faire un tour, on se retrouvera au petit café. » La question était d'entrer à la poste, ou d'en sortir sans être vu —

et de ne rencontrer personne ; l'entrée de service aurait été bien plus pratique ; il tenta de l'utiliser, y parvint une fois. La seconde fois, il se fit vivement apostropher par un employé. Un jour qu'il pleuvait, et que les enfants tournaient avec des cris dans la maison, il se décida : il y avait près d'une semaine qu'ils passaient chaque jour en voiture devant le bureau de poste sans qu'il puisse s'arrêter. Son cœur était serré, il ne dormait plus, il étouffait de révolte impuissante. Il se tourna vers son beau-père. « Si on allait prendre l'apéritif dehors ? » dit-il. Une fois dans la rue : « Attendez-moi un instant, papa, dit-il, il faut que je passe à la poste. » Son beau-père le tutoyait : « Tu as besoin de timbres ? dit-il, tiens, j'en ai plus qu'il ne me faut, ce matin j'en ai pris un carnet en allant faire mon tiercé. » « Non », dit Pierre abruptement, il se trouvait à court d'explications, « attendez-moi un instant. » Il revenait quelques minutes après, ayant glissé dans sa poche de poitrine deux lettres de Laure qu'il n'avait pas eu le temps de lire, mais cela n'avait pas d'importance, il sentait leur contact contre lui comme celui d'une main. Le soleil était revenu. Son beau-père le regardait, dehors, assis sous un parasol, son visage triste et large coupé en deux par l'ombre. « Pourquoi me fais-tu des cachotteries ? » dit-il. « Est-ce que tu crois que je n'ai rien remarqué ? Tu t'ennuies ici, il y a quelque chose qui ne tourne pas rond, ça saute aux yeux. » « Mais non, dit Pierre, non, tout va bien. » « Allons, dit le vieil homme, allons donc. » Il se pencha vers Pierre. Celui-ci se sentait si heureux qu'il ne pouvait empêcher son visage de rayonner. « Tu n'as pas à te méfier de moi, poursuivit-il. Je ne dirai rien aux femmes, même si c'est de ma fille qu'il s'agit. » Pierre le regardait sans bouger. Son beau-père était un homme bon, un retraité taciturne. « Je sais ce que c'est, ajouta-t-il. J'ai failli quitter Annie et sa maman. Quand je suis revenu d'Allemagne, je n'allais pas bien, les poumons, le cœur, j'ai dû passer un hiver à la montagne, dans une maison de la Sécurité sociale. Oh, j'étais très bien là-bas, très bien soigné. Et c'est là que j'ai fait la connaissance d'une femme, mariée elle aussi, une femme très bien, mieux que moi certainement. Quand j'ai eu fini mon temps, elle devait rester encore. J'ai promis de revenir. J'en ai parlé à Marthe tout de suite, d'abord elle n'a rien dit, elle a juste baissé les yeux, et puis : "Non, je ne te laisserai jamais partir", elle a dit. Et c'est tout. Et je ne suis pas parti. J'avais trente-cinq ans, la petite avait huit ans. J'ai écrit à mon amie là-bas, je lui ai demandé de prendre patience. Et puis le temps est passé. Je suis resté. Maintenant, je me suis même arrêté de fumer, c'était pourtant tout ce qui me restait. » Il se tut. « Tu vois », dit-il, et il finit son verre d'un coup. « C'est difficile de demeurer un homme sans faire de peine à personne. Parfois il vaudrait mieux arrêter. » « Arrêter quoi ? » dit Pierre. « Arrêter tout. »

« Et elle ? » dit Pierre avec effort après un moment de silence. « Elle est morte là-bas, dit son beau-père. J'y suis retourné, une fois. Tiens, je vais te montrer. » De sa main droite, il avait sorti son portefeuille et en dégageait avec difficulté une petite photographie aux bords dentelés. C'était celle d'une tombe. Pierre la prit et lut : Léonie Revoil 1913-1948. Il la rendit à son beau-père sans un mot. Puis il tira de sa poche les deux lettres de Laure : « C'est pour cela que je vous avais demandé d'attendre », dit-il.

56

« Tu vas divorcer ? » dit son beau-père. Et Pierre entendit soudain le mot résonner dans une espèce de vide, de nudité mate : rien de son entente avec Laure ne pouvait s'accorder avec ce mot-là. « Je ne sais pas, dit-il, je n'ai rien dit à Annie. » « Attends encore un peu », dit son beau-père. Il s'était tourné vers le garçon: « Dites-moi combien je vous dois. » Ils se levèrent et s'apprêtaient à reprendre le chemin de la maison, lorsque son beau-père arrêta Pierre de sa main posée sur son bras : « Il n'y a pas de solution, dit-il. Ou tu restes et tu es malheureux, ou tu t'en vas et tu es malheureux aussi. De toute façon le temps passe. » Il fit un petit silence : « Annie est comme sa mère, dit-il, c'est une femme qui a beaucoup de tête. »

Ils ne se dirent plus rien jusqu'à l'entrée du jardin. Dans la lettre qu'il écrivait ce jour-là à Laure, Pierre parla beaucoup de son beau-père, passant toutefois sous silence l'épisode du séjour en Savoie. Il aimait parler à Laure de tout ce qui pouvait donner à ses séjours loin d'elle une apparence anodine.

Le plus souvent, leurs lettres étaient brèves et se contentaient (de la part de Pierre surtout) de rappeler une image brûlante, un souvenir charnel, ou d'évoquer son impatience, son attente. Comme par exemple : « Tu te souviens quand nous étions allés au château de F. et que j'avais envie de te prendre, sur la pelouse, là, devant tout le monde ? » En réalité, qu'avaient-ils d'autre à se dire ? Il était presque impossible à Pierre de raconter une de ses journées de vacances sans risquer d'éveiller les soupçons ou la tristesse de Laure. Tout était piégé ; rien n'était innocent. Lorsqu'il disait d'un ton un peu appuyé, pour marquer sa bonne volonté : « J'ai passé toute la journée d'hier avec mon beau-père » (comme dans la lettre), c'était dire que les autres jours il les avait passés avec Annie. Quand il ne parlait de rien, il y avait dans tout son ton une allure de réticence que Laure savait déceler. S'il disait qu'il s'ennuyait, elle ne le croyait pas ou pensait que c'était pour lui faire plaisir ; s'il ne s'ennuyait pas, autant valait le taire. Pierre, il est vrai, ne se représentait pas très clairement l'ordre des déductions où Laure s'était enfermée ; il ne le comprenait qu'après, à la teneur de ses réponses. Pour ce qui est de lui, il n'aurait pas hésité à raconter qu'il s'était baigné la veille, avec Annie et les enfants, ne croyant pas lui avoir causé par là aucune espèce de tort. Et il avait probablement raison. Mais il était naturel aussi qu'aux yeux de Laure, tout rappel d'une vie heureuse, ou même seulement ordinaire et bonne, où elle n'était pas, fût une offense, un outrage, un manquement à leur foi. Alors, Pierre, se sentant en terrain miné, tournait court : il se rabattait sur les évocations amoureuses ; si bien que leurs lettres — comme nombre de leurs rencontres — finissaient par être exclusivement consacrées à l'amour. Cela aussi finit par choquer Laure : elle y trouvait quelque chose de forcé, d'exagéré ; elle s'étonnait de leur monotonie. « Je ne sais pas écrire », disait Pierre. Et Laure en resta à cette interprétation qui n'était pas la bonne. Du reste, Laure qui avait pourtant les plus grandes difficultés à nommer les parties de son propre corps ou celles du corps de son amant, s'exerçait à la réciproque : certaines de ses lettres surprirent Pierre. Elle se força, songeant que c'était sans doute par éducation plus que par nature que les femmes ont moins que les hommes le goût de parler du corps et de l'usage qu'on en fait. Elle était toujours étonnée, lorsque la voix de Pierre, près de son oreille, basse, exaltée, la questionnait : « Et comme cela ? Et cela, est-ce que tu aimes cela ? Quand j'appuie doucement, ou quand j'appuie fort, ou quand j'entre d'un coup ? » Elle ne répondait rien, se sentant devenir triste, trouvant quelque chose de médical à ses questions qui, pour tout dire, la glaçaient. Mais Pierre n'attendait en général pas de réponse : ces questions n'étaient souvent que l'expression de la montée de son plaisir. Emporté par ses paroles, par le geste ou la position qu'elles avaient fait naître ou qu'elles commentaient, Pierre était déjà passé à autre chose, et les yeux fermés, clos en lui-même, ne demandait plus rien.

Tout un été, Laure, dans ses lettres, essaya de garder le ton. Dans le jardin, ses jeunes neveux criaient ; son frère et sa belle-sœur se disputaient vaguement dans leur chambre ; frottant l'une contre l'autre ses jambes bronzées, Laure s'appliquait. Et le visage un peu rouge tout de même, elle repliait sa feuille et la mettait dans l'enveloppe qu'elle retournait pour cacher l'adresse de Pierre.

L'été suivant, où ils étaient convenus de ne pas écrire, Pierre tenta deux fois de la joindre. La première, par téléphone, d'une cabine publique, au bord de la route. Il criait : « Je ne t'entends pas. » Laure l'entendait très bien, et elle surprit deux fois le regard de sa mère, qui passait dans le jardin sous les fenêtres de la grande salle fraîche. Il criait encore : « Je t'aime, attends, attends, c'est ma dernière pièce, nous allons être coupés. » Et soudain ils le furent, et Laure éprouva une grande tristesse de ne pas être avec lui, sur le bord poussiéreux de la route, où elle avait entendu les passages bruyants des automobiles. Elle vit Pierre, se passant la main sur le menton, les sourcils froncés, avec de grands ronds de sueur sous les bras. Ce détail ajoutait encore à la tendresse qu'elle ressentit pour lui.

6

En 1975, Annie décida de louer une villa : des
collègues de bureau en parlaient, on avait fait passer des listes. Sans consulter Pierre, elle fit son choix :
une maison basse, dans les pins, et la plage n'était
pas loin. La photographie était peut-être un peu trompeuse, la route passait devant. La surprise de Pierre
fut complète, quand il découvrit que le village le plus
proche était une petite station de bains où les parents
de Laure avaient leur villa. Plusieurs fois déjà, il avait
écrit sur une enveloppe le nom de ce lieu inconnu :
maintenant il allait le connaître. Mais il n'en parla
pas à Laure, malgré son envie. Il ne savait pas exactement comment elle prendrait les choses. Tout le
mois de juin, du reste, il fut pris d'une curieuse amné-
sie : à sa mère, à ses beaux-parents, à ses collègues
quand ils l'interrogeaient, il ne parvenait pas à dire

le nom de la petite ville : « C'est bête, disait-il, ça m'échappe. » Pierre quitta Laure sans même lui demander si, comme d'habitude, elle rejoindrait son frère chez ses parents pour le mois de juillet ; cette incertitude le rassurait.

C'était un peu plus loin que d'habitude : ils firent quand même le trajet en une journée. Lorsque Pierre vit en toutes lettres le nom sur un poteau indicateur, il eut un moment de remords. Les enfants riaient derrière, énervés, Annie somnolait, il était cinq heures. En les regardant, Pierre se sentit protégé. Rien de mal ne pouvait lui arriver. Elle m'aime, pensa-t-il, je la retrouverai. Quelque chose au fond de son corps trapu, viril, le lui confirmait ; une assurance non dépourvue de forfanterie masculine. Il tourna. « C'est par ici ? » » « Regarde sur le plan », dit Annie, et elle ouvrit à peine les yeux. « Cette chaleur me tue », ajouta-t-elle, sans presque remuer les lèvres. « Mais non, dit Pierre, elle te fait du bien, elle t'apaise. » « Ah, tu crois ? » dit-elle. A l'arrière de la voiture, la petite fille s'était mise debout et passait ses bras autour du cou de son père. « On est arrivés ? » « Presque », dit Pierre. « Tu as chaud, papa », dit-elle. « Oui, ma puce, j'ai chaud, dit Pierre, mais tu me fais frais avec tes petits bras. » La petite se mit à rire, et resserra son étreinte. « Pas si fort, dit Pierre, tu vas m'étouffer. » Elle poussa un hurlement de joie. « Non, cette fois, arrête », dit-il. Ils étaient arrivés. « Et toi, arrête de lire en voiture, dit Pierre à Bruno, ce n'est pas étonnant si tu as mal au cœur. »

Pendant deux semaines, Pierre évita les excursions ; la chaleur, du reste, les y invitait. Ils se baignaient trois, quatre fois dans la journée, restaient sur la plage jusqu'au coucher du soleil, la petite apprenait à nager, Bruno s'était équipé d'un masque et filait sans rien dire. Annie était fatiguée, elle dormait beaucoup. Pierre prit aussi l'habitude de faire la sieste, au début sur le canapé du salon, mais il était tout de même très inconfortable et le bruit de la route le dérangeait. Il monta donc rejoindre Annie dans la chambre, et resta sur le drap dont son dos brûlant recherchait la fraîcheur. Quelques jours passèrent. Une après-midi qu'elle dormait avec application, le sourcil froncé, l'air sévère, sans se réveiller elle passa sur lui un bras doré, et une jambe dorée, elle aussi, et chaude de soleil. Elle dormait toujours lorsque Pierre commença de baiser doucement son épaule, puis le dessous de son bras, et le contour de son sein. L'ayant retournée délicatement sans qu'elle se réveille, il vint sur elle. Elle referma les bras autour de ses épaules. Elle se rendormit vite. Pierre s'était rejeté sur le dos ; il ouvrit un livre ; il n'avait pas sommeil, il se sentait malheureux. Il réfléchit un moment, se leva, alla se regarder dans la salle de bains, non, ce n'était pas vrai, il n'était pas malheureux. Alors ? Il vit son visage bronzé, ses joues creuses, ses cheveux roux déjà décolorés par le soleil, sa barbe qui avait poussé. Il revint s'allonger près d'Annie et s'endormit profondément.

Deux jours plus tard cependant, sorti sur un vague prétexte, Pierre a pris la direction du village, il veut voir Laure. Il roule sur une grande avenue entre les jardins, la vitre ouverte. Cris d'enfants, bruit des tourniquets d'arrosage, jappements d'un chien, choc amorti de balles de tennis, rires. Sous une tonnelle, un couple âgé lit paisiblement. Son cœur bat ; où est Laure ? Une femme lève la tête en l'entendant ralentir, elle dit quelques mots, une radio les couvre. (Il va s'arrêter, descendre, sonner à la porte : « Je suis un ami de votre fille. La sonnette ne marche pas. » Les aboiements du chien l'obligent à monter la voix. « Oh, elle ne marche plus depuis longtemps ! ») Pierre a repris un peu de vitesse ; il a déjà gagné le coin de l'avenue. Non, je n'irai pas, je ne sais même pas exactement où c'est et qu'est-ce que je vais bien pouvoir leur dire ?

Quelques jours s'écoulèrent. La chaleur avait fait place à des orages ; mais quand ceux-ci furent passés, il leur succéda un temps extraordinairement beau, vif, clair, léger. Cette fois, se dit Pierre, j'y vais. Annie était partie faire des courses avec les enfants. Je ne peux pas me tromper, pensa Pierre après avoir tourné entre les villas, Laure dit que du bout de l'avenue on voit la mer. Et si elle n'était pas là ? Mais il s'est arrêté, il range la voiture, descend. Sur la terrasse, une femme au visage fin, aux lèvres minces, est en train de lire et elle ne lève pas la tête. Près d'elle un homme aux cheveux blancs semble somnoler. Pierre s'avance, tire le cordon de la sonnette, le chien vient vers lui sans aboyer, en frétillant de la queue. « La sonnette ne marche plus », dit-il. « Oh, dit le vieil homme, il y a bien longtemps. » « Je suis un ami de votre fille », dit Pierre. « Je ne sais pas si elle est réveillée, dit sa mère. Laure ! » « Je suis un vieil ami, reprend Pierre (il en a honte aussitôt), je passais, je... » « Asseyez-vous, dit sa mère, elle va descendre. » Elle n'avait pas encore souri. Puis Laure se trouva à côté d'eux, ils ne l'avaient pas entendue venir. « Bonjour », dit-elle, et elle tendit la main à Pierre. Elle était en maillot, les yeux de sa mère se posèrent sur son ventre nu. « Tu ne t'habilles pas ? » dit-elle. « Alors, » dit Pierre, sur un ton excessivement enjoué, « ça se passe bien, les vacances ? » Devait-il la tutoyer ou non ? « Je ne suis là que depuis une semaine », dit Laure. (Une semaine, mais où était-elle avant ? Une panique le saisit.) « Ah », dit-il. « Et toi ? » dit Laure. (Elle avait tranché. Il resta interdit, et regarda les parents de Laure, son père souriant, sa mère, impassible.) « Pourtant, tu es déjà très bronzée », dit-il. « Tu ne t'habilles pas ? » répéta sa mère. « Si, dit Laure, j'y vais. » Mais elle ne bougea pas. « Oui, dit sa mère, cela fait du bien de s'arrêter un peu au calme. » Il y avait comme une admonestation dans sa voix, mais adressée à qui ? Laure sourit et fit bouger ses orteils dans ses sandales. « Et la villa, elle est comment ? » (Comment sait-elle ? se dit Pierre.) Le père de Laure avait parlé en même temps qu'elle : « Et vous, Monsieur, vous êtes en vacances où ? Pardon, ma fille, je t'ai coupée. » « Tout près, dit Pierre, à la petite pinède. » « En effet, dit le père de Laure, c'est joli, par là-bas, mais il y a des années que nous n'y sommes pas allés, nous sortons peu de notre jardin. » « Toi aussi, dit Laure, tu es très bronzé. » « Vous êtes jeune, dit le père de Laure, vous aimez le soleil. Moi aussi, autrefois. Maintenant je le crains. Regardez le jardin, si je ne l'arrosais pas tout le temps ! La peau c'est la même chose, mais elle ne veut pas me croire ! » Il s'était tourné vers sa femme : « Maman, tu ne nous offres rien ? Je suis comme mes plantes, moi aussi, j'ai soif ! » « Laisse, dit Laure, j'y vais. » On entendit ses pas dans la cuisine, la porte du réfrigérateur s'ouvrir,

65

le bruit des glaçons. Le chèvrefeuille retombait en lianes parfumées au-dessus d'eux ; Pierre respira profondément mais ne dit rien.

Dans la cuisine, Laure sentit son agitation s'apaiser. Pierre est ici, pensait-elle. Elle aurait voulu être seule avec lui dans la cuisine fraîche et sentir ses mains sur son dos. (Le soir allait descendre ; ils seraient seuls, ils dîneraient dehors, et le bras de Pierre s'appesantirait sur sa nuque.) Soudain, elle entendit la voix de sa mère : « Vous êtes professeur ? » et la réponse de Pierre, qu'elle ne comprit pas. Puis la voix de son père s'éleva, grave. Laure avait passé une robe sur son maillot et la glace tintait dans le pichet de verre sur le plateau. « Oui, deux, disait Pierre, un garçon et une fille. » Sans doute quelque chose avait échappé à Laure dans la conversation. Elle était venue s'asseoir près de lui, naturellement, et lui tendait un verre. Il souriait, abandonné, son air tendu avait disparu. Il fit tourner une galette pour lire la devise. « Qu'est-ce que tu lis en ce moment ? » dit-il. Laure se penchait, Pierre surprit le regard de sa mère, il se recula. « Quel beau jardin ! » dit-il. « C'est mon mari », dit la mère de Laure. « Et toi, dit celui-ci, tu ne m'aides pas, peut-être ? Ça, c'est elle », ajouta-t-il en montrant de beaux massifs. « Des fleurs dont je n'arrive jamais à retenir le nom », dit Laure. « Des gloxinias », dit sa mère. « Peine perdue, dit son père, demain elle aura encore oublié. » « Mais vous aimez les fleurs, à ce que je vois ? » ajoutait-il aussitôt poliment pour faire oublier l'aparté familial. « Beaucoup, dit Pierre, à R. nous avons un jardin mais je n'ai jamais le temps de m'en occuper. » Il sembla à Pierre que ce "nous" avait jeté un froid. Du reste, il était temps de partir.

66

Pierre regardait l'ombre qui montait vers eux du fond du jardin. Laure ne souriait pas ; sous ses cheveux rattachés par un ruban clair, son cou brun luisait. Il avait envie d'y porter les dents. Maintenant, pensait-il, oui, ici, tout de suite. Il se leva. « Encore un peu d'orangeade ? » dit la mère de Laure. « Merci, dit Pierre, je ne suis resté que trop longtemps. » « Je te raccompagne », dit Laure. Ses parents s'étaient levés, Pierre leur serra la main. Regardez-le bien, pensait Laure, vous ne le reverrez pas. A quelque distance de la maison, Pierre posa sa main sur le cou de Laure et serra. Elle sourit, glissa le bras derrière son dos. « Tu n'es pas fou ? » dit-elle. « Si, dit-il, fou de toi, je n'en pouvais plus de ne pas te voir, je... » Il n'acheva pas. Ils s'étaient arrêtés devant sa voiture. « Monte, dit-il à voix basse, je t'en prie, rien qu'un instant, monte. » Il la prit aussitôt dans ses bras, puis la lâchant, démarra, et roula une centaine de mètres. Il respirait fort. Ils s'étaient arrêtés sous le couvert d'un pin parasol, dans l'ombre. « Viens », dit-il. Il l'avait attirée contre lui, glissait ses mains dans sa robe, fouillait. « Tes seins, dit-il, je veux les voir, doux, bronzés. » Il se pencha et les baisa doucement, l'un après l'autre. « Non, dit Laure, je t'en prie. Ramène-moi. »

Quand elle rentra, ses parents étaient déjà à table. « Jacques a téléphoné, dit sa mère, ils arrivent demain soir. » « Ah bon », dit Laure. « Il est sympathique, ton ami, dit son père. Comment s'appelle-t-il donc ? » « Seguin », dit Laure. Mais sa mère ne dit rien. Laure avait mal à la tête, et se coucha tôt.

Pierre essaya de la voir une fois encore : il téléphona, c'est le frère de Laure qui lui répondit. Puis elle vint lui parler et ils se fixèrent un rendez-vous dans un café. Ils s'installèrent dans la salle du fond, vide et fraîche à cette heure. Dehors, sur la terrasse, des couples riaient, s'interpellaient. L'odeur du café et des apéritifs se mêlait aux relents des saucisses et des croque-monsieur. « Ce que ça pue », dit Pierre. Il avait pris la main de Laure par-dessus la table. « Est-ce que tu m'aimes encore ? » Il avait l'air malheureux, c'était sa faute, tout allait échouer par sa faute. Si seulement ils avaient été dans une chambre, seuls ! L'idée qu'ils n'avaient rien à se dire lui fit peur, il se pencha davantage. Des militaires passèrent, jetant un regard de coin à cette jolie fille bronzée qui semblait avoir envie de pleurer. « Est-ce que tu ne m'aimes plus ? » dit encore Pierre. Laure haussa les épaules. Pierre regardait sa montre. « Je peux t'écrire ? » « Évidemment, dit Laure, bien sûr. » « On dirait que ça ne te fait pas plaisir ? » « Mais si, dit-elle, seulement je suis un peu découragée. » « Moi aussi », dit Pierre et, se penchant par-dessus le formica taché, il posa ses lèvres sur celles de Laure. « Regarde-moi. » « Je te regarde », dit Laure. « Mais non, mieux que ça. » Elle détourna ses yeux qui se remplissaient de larmes. « Allez, dit-elle, allons-nous-en, il est tard. »

Pierre se promit de ne plus chercher à revoir Laure en été. Jusqu'à la fin du mois d'août, il n'écrivit qu'une seule fois. Et lorsqu'Annie lui demanda si elle devait retenir la villa pour l'année suivante, il dit que non, qu'ils étaient mieux chez les parents, n'est-ce pas ? Annie en convint, pourtant elle avait aimé l'endroit. Mais elle était contente si Pierre l'était.

68

Quant à Laure, elle n'aima pas cette lettre de Pierre, qu'elle trouva froide et convenue.

Au fond les seules lettres de Pierre que Laure aimait, c'était les lettres qu'il lui écrivait sans nécessité après l'avoir vue, après avoir passé une après-midi avec elle, ou juste après avoir raccroché le téléphone. Il arrivait d'ailleurs à Laure d'en faire autant, de griffonner un mot dans la nuit, sur ses genoux, et de retrouver le matin dans ses draps le papier froissé, le stylo ouvert qui avait laissé des traces bleues. Pierre, lui, se levait doucement, n'allumait pas ; dans la cuisine, il s'éclairait en ouvrant la porte du frigidaire, jetait quelques lignes sur le papier : « Je ne peux pas dormir, c'était si bien ! » Ils écrivaient des choses qu'on ne raconte pas, avec des successions d'adverbes, des mots soulignés, des parenthèses, des points d'exclamation, comme dans un poème. Ou encore ils s'envoyaient des citations prises dans les livres, car ils trouvaient alors des échos partout, à la télévision, dans un film, dans leurs lectures. Pierre recopia un jour pour Laure la fin de l'épître de Paul « car l'amour peut tout » (sa Bible disait la charité, il écrivit l'amour et il avait raison). Et toutes leurs lettres se terminaient de la même façon, « Je m'arrête, il faut que je te quitte, c'est si difficile de se quitter. » etc.

Laure gardait dans une boîte (il lui en fallut bientôt une seconde) toutes les lettres de Pierre et aussi celles qu'elle ne lui avait pas envoyées ou dont elle avait fait un brouillon. Pierre, lui, dut s'arranger un peu autrement. Il n'avait rien gardé des billets abrupts de l'infirmière, mais il ne put se résoudre à déchirer les lettres de Laure. Avec Laure il lui avait fallu s'installer dans la longue durée, comme on s'installe dans le mariage. D'emblée, il décida de jeter les enveloppes, malgré la protection qu'elles offrent, mais une feuille de papier dépliée attire moins l'œil. Il les glissa dans une chemise de couleur comme il faisait pour ses notes de cours. Il aurait bien demandé à Laure de taper l'adresse à la machine, mais il n'osa pas.

Elle n'abusa du reste jamais du droit qu'elle avait été étonnée de se voir accorder : de lui écrire chez lui si c'était absolument nécessaire. Parfois elle préférait garder la lettre et la lui donner le lendemain, quand ils se verraient. Pierre de son côté ne pouvait réprimer un serrement de cœur quand la douce main de sa fille ou de son garçon lui apportait le matin une lettre au papier beige qu'il reconnaissait tout de suite : « Tiens, papa, c'est pour toi. » Annie ne levait même pas la tête. « Encore », disait Pierre. « Encore quoi ? » « Des trucs de la boîte. » Et il laissait la lettre sur sa serviette de table avec une indifférence feinte. Puis il l'emportait dans son bureau et la glissait sous un paquet de copies à corriger. Le rouge lui venait au front. Quand cesserait-il de se conduire comme un enfant ? De mentir, de se cacher ? Il ouvrait la lettre, et un flot de bonheur submergeait tout. Il était seul. Les enfants étaient partis pour l'école, Annie achevait de s'habiller, il n'avait pas de cours avant le lendemain. Un merle sautillait dans le jardin, cherchant de l'herbe fraîche pour son nid. Un besoin de vie purement physique emportait Pierre. Il aurait voulu être comme cet oiseau stupide, uniquement occupé durant une saison d'une femelle et de ses œufs. Il se penchait sur ses copies, et lorsqu'Annie entrait pour lui dire au revoir, il avait l'air si sérieux, disait-elle! Quel dommage que son fils ne le soit pas autant. Il entendait la voiture démarrer, et ressortait la lettre de dessous le paquet de copies.

7

Des étés séparés, Laure en avait donc déjà une bonne expérience lorsqu'en juillet 1976, son stage fini, elle revint passer deux jours à R. avant de rejoindre, dans les Landes, ses parents et son frère.

Ils ne s'écriraient pas, ils ne se verraient pas; leur entente était comme suspendue, en attente, dans le ciel monotone de l'été. Laure eut durant quelques jours une impression de soulagement. Elle s'installa dans la grande chambre claire. Deux fois, elle eut envie d'écrire à Pierre, mais elle ne le fit pas. Elle faisait chaque jour de grandes promenades à bicyclette avec ses neveux, le temps était beau, mais trop froid pour le bain. Pierre ne lui manquait pas.

Quand elle revint à R., au début d'août, Pierre était déjà rentré, mais elle ne le savait pas. La ville était chaude et vide. La bibliothèque ne rouvrait qu'en septembre, trois grandes semaines (un peu plus même) la séparaient de la rentrée. Elle fit de l'ordre ; changea les meubles de place : dans la chambre, elle mit le lit dans l'autre coin ; dans la grande pièce, plaça le canapé sous la fenêtre. Elle ne reçut pas de courrier, sauf deux cartes de Sicile, signées de Ghislaine et de son ami, un jeune Anglais qui écrivait "LOVE" en capitales dans le coin gauche, suivi d'un gribouillis qui devait être son nom. La dernière semaine, elle remit les meubles comme avant, puis trouva le lendemain un autre emplacement pour le canapé. Elle avait acheté des draps par correspondance ; elle les mit aussitôt dans le lit. Pourtant, elle n'avait pas le sentiment d'une attente.

Le lundi, elle rencontra sur le boulevard un élève de terminale, qui venait souvent travailler à la bibliothèque l'année d'avant. Il était bronzé et portait un sac grec à l'épaule. « Je reviens de Grèce, dit-il. C'était fantastique. Et vous ? » « J'étais dans les Landes », dit Laure. « Oh, c'est bien aussi », dit-il. Il avait les bras nus, le cou maigre dans sa chemise, sa pomme d'Adam montait et descendait avec effort. « J'aimerais qu'on se voie un jour, dit-il, j'aurais besoin de vos conseils. » « De mes conseils ? dit Laure. Téléphonez-moi. » « Mais je n'ai pas votre numéro. » « Je suis dans l'annuaire. » Il était étudiant à Paris. Mais il ne repartirait que dans une semaine ou deux : c'était promis, il appellerait. Il n'appela pas. Laure y pensa deux ou trois fois.

Pendant ce temps, Pierre était rentré depuis déjà trois semaines. Dès son retour, il s'était senti plein de résolutions joyeuses. Le samedi il lava la voiture, le dimanche il conduisit les enfants à la gare. Le lundi Annie reprenait son travail, Pierre resta seul. Le jardin avait séché, il ôta les fleurs et les feuilles mortes, fit un tas qu'il brûla. Puis il arrosa les massifs chaque soir, soigneusement. Cependant, il fallait se mettre à travailler, Pierre se sentait engagé. Il décida de s'installer dans la chambre de Bruno, parce qu'elle était plus calme et plus fraîche, et pour la première fois depuis des années, il se retrouva seul, ayant ôté de la table à tréteaux les cahiers et les jouets de l'enfant, seul comme on l'est à douze ans quand on est resté le dimanche après-midi à la maison pour finir ses devoirs. Mais ce n'était pas un dimanche, et il n'avait plus douze ans. La fenêtre ouverte laissait entrer le parfum de la pelouse arrosée. Il tâcha de ramener son attention vers la table ; ses yeux erraient sur les murs. Rien au fond n'avait changé : seules de grandes affiches en couleur avaient remplacé les photographies de footballeurs découpées dans *But et Club*, et les cahiers de Bruno avaient des couvertures de plastique à rayures vives. Il y avait en apparence plus de gaieté dans l'existence du jeune garçon qu'il n'y en avait eu dans la sienne, tout entourée (dans son souvenir) de choses sombres, tablier foncé, cartable de cuir, papier bleu sur les livres. Il essaya les feutres, les pointes Bic. Mais après tout que savait-il de son fils, hormis ses brusques colères, ses accès de tristesse ? Pierre rangea soigneusement les menus objets et posa sur la table dégagée la petite machine Hermès qu'il avait achetée il y avait près de vingt ans. Puis il alla s'étendre sur le lit étroit de l'enfant et, la joue contre l'oreiller pas très propre, il s'endormit aussitôt, dans l'odeur émouvante et douce du jeune garçon qui le ramenait étrangement en arrière, à ces innombrables après-midi moroses du début de son adolescence. Son frère avait quitté la maison très tôt. C'est alors qu'était née en lui la décision d'''en sortir''. Mais comment? Pour aller où? Devenir quoi? Il n'y pensait même pas — simplement ne pas devenir comme son frère — entré en apprentissage, ou ses cousins, les vrais et les faux (les neveux de son beau-père), qui à quinze ans buvaient l'apéritif, fumaient comme des adultes et le regardaient d'un air plein d'un respect ironique quand il sortait de sa chambre les yeux fatigués d'avoir trop lu. Pierre se rappelait sa tristesse d'alors, ses résolutions, le mur de la salle à manger tendu de papier fleuri, et l'odeur du poulet au céleri que sa mère faisait cuire chaque fois que son frère venait déjeuner avec sa fiancée, un dimanche sur deux (l'autre, il le passait chez ses futurs beaux-parents). Ses premières curiosités sexuelles, et ses premières investigations sur son propre corps avaient eu lieu dans la même petite chambre devenue la sienne après le départ de son frère. Il avait alors obtenu le meilleur lit des deux, celui qui avait une lampe de chevet. (Est-ce que Bruno, lui aussi, déjà?)

Pierre se redressa dans le lit, chercha un autre oreiller et, ne le trouvant pas, se recoucha. Il allait s'endormir quand de nouveau un vague remuement (regret, remords) le réveilla. Cette force qu'il sentait alors en lui, malgré sa tristesse, elle s'était évanouie, dispersée, il ne savait comment. L'élan était resté dans son corps seulement, qu'il sentait jeune encore, dur, musclé : mais il avait déserté son esprit. Comment cela s'était-il fait? Ce à quoi il s'attendait, en prenant en juin la décision de ''s'y remettre'', ne s'était pas produit, il n'avait pas retrouvé la force, la poussée d'alors. Tous ses efforts, pensa-t-il, il avait dû les faire pour s'arracher au milieu silencieux et dur qui l'entourait, aux résignations, aux consentements familiaux, à l'étroite vie de son beau-père, aux modèles forgés dans les cuisines carrelées, dans l'odeur du poireau et le battement du réveil. En un sens, il le sentait, il y était arrivé, il était bien devenu autre : mais quoi ? Bruno aurait plus de chance, lui, il pouvait continuer le mouvement amorcé, il partait déjà de plus haut et de plus loin. Quand, à la fin de ses études, Pierre avait été reçu au CAPES, il avait dès le premier échec abandonné le projet de passer l'agrégation, qui aurait comblé sa mère presque autant que s'il avait choisi d'être ''docteur'' (c'est-à-dire médecin). Très vite, et sans s'en apercevoir véritablement, Pierre s'était établi dans un état d'acceptation simple, et de consentement à la vie ordinaire. A un niveau supérieur sans doute de celui où tout le monde, avant lui, s'était arrêté : mais à part cela, il n'y avait pas de différence. Là où il était, c'était plus confortable et moins précaire. C'est tout. Une paresse simple et douce avait fait le reste : toute une part de sa force s'était convertie en sensualité facile ; il y avait eu ''les femmes'' quand il était adolescent, rêve plus que réalité ; puis les ''jeunes filles'', cet aspect du continent féminin vers lequel il était tout naturellement allé, par respect inné de la convention. C'est alors qu'il avait rencontré Annie : il avait à peine plus de vingt ans, elle vingt-deux. Elle avait un corps élancé, une peau mate qui brunissait facilement, des yeux clairs, le nez un peu busqué et beaucoup de détermination. Ils s'étaient mariés en juin, juste après le CAPES et il avait pris son premier poste. Soudain le besoin qu'il avait eu des livres, sa confiance en eux s'étaient évanouis ; ou plutôt, il se trouvait qu'ils n'avaient plus d'objet. Il avait obtenu des livres ce qu'il désirait. Il pouvait les confiner maintenant dans un rôle dont ils ne sortiraient plus ; ne les ouvrir désormais que par nécessité ou par devoir. En apparence, il avait choisi le monde des livres non pas pour « s'en sortir » : mais pour le secret ou la beauté qu'ils recélaient, pour trouver un monde dont il cherchait l'accès. En réalité, les choses s'étaient passées sur un mode plus attendu et plus commun. Aux livres, il avait demandé de lui donner un métier calme, un salaire régulier, une vie rangée : ils les lui avaient donnés, que demandait-il de plus ? Ce monde élevé, dégagé du quotidien (auquel dans sa jeunesse il avait cru, ou qu'il avait cru désirer dans sa jeunesse, ce qui n'est pas tout à fait la même chose), quelques années de vie d'adulte l'avaient dissipé. Son miroitement lointain, son irisation disparue lui avaient laissé la trace d'un remords, mais il dut bientôt se rendre à l'évidence : comme pour sa mère, ou son beau-père qui n'en lisait jamais, le monde des livres (et le monde dont parlaient les livres) auquel il avait eu provisoirement accès demeurerait un monde parallèle au sien : pour toujours. Et lorsqu'en 1968, des événements lointains, qu'attestaient seulement les gros titres des journaux et les images de la télévision, vinrent ébranler la petite ville où il vivait, il ne s'étonna pas qu'ils restent sans influence sur lui (à part quelques défilés et une réunion ou deux dans son lycée déserté) tant il s'était habitué à vivre d'une vie séparée du monde.

Dans ce contexte, quel sens cela pouvait-il avoir de se remettre à "travailler" ? Pierre lui-même ne savait pas vraiment ce qu'il entendait par là. Lire "sérieusement", rassembler des notes, rédiger des articles, commencer une thèse ? Ou s'associer, en s'asseyant à une table devant la rangée des livres, au grand mouvement invisible dont ces livres étaient justement le reflet? Mais à quoi bon?

Durant des années, la question ne s'était même pas posée. Peu de temps après son mariage, Bruno était né. A quelques rues de distance, ils étaient deux ou trois jeunes couples comme le sien, avec des enfants tout petits, de vieilles deux-chevaux d'étudiants, et des appartements sommairement meublés, toujours en désordre, dont les salles de bains étaient envahies de jouets de plastique et de linge à sécher. On se mettait à plusieurs pour aider celui qui avait trouvé un appartement plus grand, et on faisait une fête le soir même, assis par terre, autour d'un repas improvisé. Les enfants avaient été mis à dormir tous ensemble dans la chambre, sur le lit couvert d'un duvet de camping, et on les emportait sans les réveiller au moment d'aller se coucher. Et il y avait bien de la douceur dans ces dimanches matin où on allait chez un tel tapisser une chambre d'enfant, couler le sol de ciment du garage, préparer le barbecue sur la pelouse minuscule où ils se retrouvaient tous. Chacun des garçons était très amoureux de sa femme, et flirtait gentiment avec celles des autres; tous étaient d'accord, il y avait dans tout cela une grande légèreté qui masquait la puissance et la sévérité des engagements qu'ils avaient pris comme en se jouant. Tout était neuf, tout semblait provisoire; les appartements de hasard, un premier poste, les petits matins d'octobre où, dans le vent vif qui chassait les feuilles mortes, ils se rendaient au lycée, salués par des élèves aux joues à peine plus enfantines que les leurs et traversant la cour qui sentait encore l'été, s'installaient devant des livres qu'il leur semblait avoir étudiés la veille. A midi, ils rentraient ; retrouvaient l'appartement gai et mal rangé, les pleurs du bébé et les yeux cernés de la jeune femme fatiguée qui s'appuyait tendrement contre eux. L'un s'en allait, puis un autre ; celui-ci voulait se rapprocher de la Bretagne où il était né, du "Midi" dont il vantait sans cesse le climat. Plus tard on en ferait autant, on achèterait une maison plus grande ; en attendant, on était jeune et comme posé de biais sur la vie, dans une insouciance sans limites. Cependant, jusque dans l'absence de sérieux qui leur semblait distinguer leurs actions de celles des véritables adultes (dont ils pensaient ne pas faire encore partie), ils respectaient déjà une stricte répartition des âges et des rôles, aussi impitoyable que dans les sociétés anciennes. Ainsi s'apprêtaient-ils à passer de l'âge juvénile à l'âge mûr, et à découvrir que toutes les barrières qu'ils avaient posées en se jouant enfermaient un espace hermétiquement clos.

Les groupes se défirent : André partit pour Alençon "qui était le pays de sa femme" ; ils essayèrent de le remplacer par un couple plus jeune, sans enfant, qui voyageait davantage, la greffe ne prit pas. Pierre et Annie accompagnèrent deux fois en Italie et une fois en Grèce deux jeunes gens pourvus eux aussi d'un bébé ; et ils découvrirent en même temps, tout à la fois, les églises de Toscane, où les fresques se décollaient dans le plâtre aux couleurs tendres, à peine pâlies, les nuits douces sous la tente, coupées de pleurs d'enfant, et de petites intoxications dues au soleil et aux fruits mal lavés. En Italie, et de même en Grèce, Pierre apprit à s'accommoder de la présence toujours incomplète, toujours remise, des chefs-d'œuvre qui venaient au-devant de lui jusqu'à une certaine limite qu'ils ne franchissaient pas, ou bien c'est lui qui n'allait pas suffisamment à leur rencontre ? Mais il ne sentit jamais la fusion s'accomplir. Il y avait toujours quelque chose qui s'interposait : soit un petit désagrément — Annie s'était écorché le pied sur un rocher, il fallait voir un médecin, l'infection ne cédait pas ; soit un excès de bonheur sensuel, terrestre, le désir de rester à la plage plutôt que de faire l'ascension de l'Acropole de Mycènes, une soirée prolongée à Orvieto, devant du vin blanc. Tout de même, une année, Pierre découvrit Florence, malgré l'éloignement du camping, ce qui compliquait les visites. Et à deux ou trois reprises, il se trouva presque de plain-pied avec les œuvres. Impression bizarre : ce n'était pas qu'il aurait pu en accomplir de semblables ou même qu'il les comprît parfaitement. Simplement, elles n'étaient plus séparées de lui, elles lui étaient destinées, il était pour elles un interlocuteur possible. Ce sentiment disparut vite : les deux jeunes femmes étaient préoccupées d'aller voir dans les vitrines des vêtements de beau cuir, et des blouses de soie (qui leur étaient pareillement inaccessibles) et son ami avait "envie d'une bonne bière". Pierre se sentit malheureux : lui aussi avait envie d'une bonne bière, et de regarder les jeunes femmes essayer (avec semble-t-il la complicité de la vendeuse) une robe qu'elles n'achèteraient jamais ; il avait l'intuition confuse que ces choses-là auraient pu aller de pair avec la contemplation et l'amour des œuvres. Le comportement de ses amis acheva de l'en dissuader. On fit des gorges chaudes sur lui, attardé si longtemps aux Offices qu'il n'avait pas vu que les autres mouraient de faim ; on parla tout de même un peu de Botticelli au repas. Quel choix avait-on, alors ?

Fallait-il être absorbé dans le passé et la contemplation des œuvres au point d'ignorer la différence entre les vins de Frascati et ceux de Chianti? Ou bien être un homme d'aujourd'hui qui ne peut pas "perdre son temps dans le passé", fait aux "œuvres d'art" une place limitée, une place de convention, le temps d'un voyage obligé en Italie ou en Grèce comme jeune professeur de lettres, déjà encombré d'enfants?

En 1970, il devint nécessaire "pour sa carrière" qu'Annie accepte de changer de ville : ils avaient le choix entre plusieurs postes d'égale importance; ils décidèrent de revenir à R. où Pierre était né. La banque leur trouva un petit appartement, rue des Minimes, près de la cathédrale. Ils s'y sentirent rapidement à l'étroit; et Pierre, dans les débuts, n'aima pas trop avoir à passer chaque jour le haut portail du lycée de son adolescence. Puis il s'y fit : beaucoup de ses anciens professeurs avaient déjà pris leur retraite.

Ainsi le mois d'août s'avança. Deux semaines passèrent et Pierre ne s'était pas encore mis au travail. Un matin, debout devant les rayonnages de livres, il se mit à bâiller. Il était dix heures, il avait faim. Il s'assit dans la cuisine sur un tabouret de formica et resta un moment devant le frigidaire ouvert, dans l'odeur des légumes et du poisson, un bout de comté à la main. Il se vit soudain dans la porte vitrée; un homme jeune et fort, à la poitrine large, aux cheveux clairs et drus. Est-ce que ce travail-là lui convenait? Il n'avait rien d'un rat de bibliothèque, et ses mains aux ongles carrés n'étaient pas du tout celles d'un artiste, d'un intellectuel. D'un autre côté, il n'était pas non plus un sportif ou un bricoleur : il ne savait rien faire. Au fond, il ne savait ni qui il était, ni ce qui lui aurait convenu. Il était un artisan sans métier, un paysan sans charrue, un homme simple coupé de ses tâches naturelles ; plongé dans un milieu artificiel où il ne s'était pas fait de racines. Il n'était fait ni pour la terre (que depuis deux générations sa famille avait quittée) ni pour les livres. Il n'avait qu'à continuer à faire ses cours.

Il passa la fin de l'après-midi à lire Faulkner — là, il trouvait ce qui lui convenait, un nœud de vie grouillant et brutal, loin des livres et de la vie feutrée qu'il menait. Le lendemain, il passa une grande partie de la matinée à la piscine et en ressortit à midi, heureux, fatigué, affamé. Sur le chemin de retour, il alla chercher Annie au bureau et l'emmena déjeuner avec une de ses jeunes collègues. Il les laissa patiemment discuter de l'informatisation probable de leurs services, puis passer de là, assez abruptement, à la mode de la rentrée. Ils étaient jeunes, leur peau était souple, bronzée, Laure reviendrait bientôt. Pourquoi ne pas faire un pique-nique dimanche à quatre avec la jeune femme et son mari ? Annie parut surprise et l'autre accepta joyeusement. Pierre s'occupa au jardin, les matinées suivantes, retourna deux fois à la piscine, acheva son Faulkner et tenta de préparer le dîner pour le retour d'Annie. De temps à autre il prenait sur un petit carnet des notes sans suite, énigmatiques et brèves : ce genre incomplet lui plaisait. Peut-être était-ce là sa voie ? Il en parla à Laure dans une lettre ; puis, refermant son stylo avec satisfaction, il alla boire un verre en attendant Annie. Il avait mis un disque : l'herbe de la pelouse rafraîchie communiquait une senteur agréable à toute la pièce. Annie le regarda : « Tu as bonne mine », dit-elle. Simplement, ses yeux étaient rouges. Annie lui acheta des lunettes de piscine.

A la fin du mois, une querelle s'éleva dans le service que dirigeait Annie. Elle en prit ombrage : est-ce qu'il ne faudrait pas tout quitter, changer de ville, même ? Bien sûr, il y avait la maison, mais on trouverait toujours à la vendre. Pierre ressentit un pincement d'angoisse, et en même temps un vague espoir monta en lui. Est-ce qu'ainsi tout ne serait pas résolu ? Il ne dit ni oui ni non, laissant à Annie le soin de décider. Le lendemain, elle n'en parlait plus ; ç'avait juste été un accès de nervosité. Cette fatigue du reste arrangeait Pierre, car la question des nuits ne se posait pas. Dans le fond la froideur d'Annie le décevait un peu : mais il devait s'avouer qu'il était agréable d'être fidèle à Laure sans effort.

8

Septembre approchait, Pierre n'avait pas revu Laure. Elle lui manquait, mais abstraitement, à cause de la certitude où il était de la revoir ; et en même temps, il n'aimait pas penser qu'elle lui reviendrait parmi les corvées de la rentrée, avec les premiers jours de pluie, les imperméables mouillés au fond de la voiture et les plaintes des enfants à table au sujet de la "nouvelle maîtresse" ou du départ d'un petit camarade.

Éloigné du jardin par un peu de mauvais temps, Pierre, étendu sur le canapé, écoutait de la musique et tenait ouvert entre deux doigts son carnet où il n'avait rien porté depuis deux jours. Quand le téléphone sonna, il attendit un peu, puis il se leva. Mais on avait déjà raccroché. Il revint s'asseoir. La pluie, qui était tombée toute la matinée et venait juste de cesser, avait gorgé d'eau la rangée de roses trémiè-res dont le feuillage jauni commençait à pourrir. Sans y penser, Pierre était déjà debout et composait le numéro de Laure. Il attendit un moment. Personne. Il avait pourtant préparé dans sa tête les mots qu'il lui dirait : « Je t'entends à peine. » Puis : « J'ai envie de toi, est-ce que je peux passer ? » Mais personne ne répondait. Il se rassit, le disque était fini, il n'avait pas envie d'en remettre un autre.

De nouveau le téléphone retentit. C'était Annie : « Tu n'étais pas là tout à l'heure ? » dit-elle. « Si, dit Pierre, mais j'ai à peine eu le temps d'arriver, tu avais déjà raccroché. » « Ça va ? » dit-elle. « Oui. » « Tu travailles ? » « Un peu. » « Je serai en retard ce soir », dit-elle. « Je t'attendrai. » « Non, ce n'est pas la peine, j'ai déjeuné avec Fournier (elle rit), je n'aurai pas très faim ! » « Fournier ? Il est rentré ? » « Oui, hier. Et il avait des choses à se faire pardonner, il m'a offert un déjeuner somptueux. » « Je croyais qu'il était radin », dit Pierre. « Preuve de plus », dit-elle. « Alors, finis la quiche tout seul. » « Je vais aller faire un tour », dit Pierre.

Dans la salle de bains, le miroir lui renvoya une fois de plus un visage bronzé, un peu brutal (j'ai des yeux sans vie, pensa-t-il, avec une sorte de fierté, des yeux de mâle inexpressif), son torse carré, la ligne claire au-dessous de sa taille, sur ses hanches. Il passa une chemise propre, s'arrosa d'after-shave et, avant de sortir, il rouvrit la fermeture de son pantalon pour s'ajuster mieux. Dehors, le soleil revenu brillait très fort. Dans l'allée entre les maisons, il n'y avait personne ; les enfants du voisinage étaient tous à la piscine ; les autos au garage ; les femmes sur la pelouse de derrière, ou en courses. Annie avait pris la voiture, il se dirigea vers l'arrêt du bus; le prochain était dans vingt minutes. Il se sentit plein de tristesse et d'impatience et regarda tout autour de lui. Rien, personne. Au coin de la rue un bus se montrait, de loin il reconnut le nom de la ligne, faute d'habitude il s'était trompé de direction. Il eut juste le temps de traverser. Une fois monté, il s'aperçut qu'il avait gardé ses espadrilles.

Le centre de la ville, où il n'était pas allé depuis deux mois le surprit : dans les devantures des magasins les soldes de l'été faisaient progressivement place aux vêtements de rentrée; la devanture principale des Nouvelles Galeries montrait la reconstitution d'une salle de classe, avec des gamines aux yeux de verre, assises en jupe écossaise sur de vieilles tables d'écolier devant des tableaux noirs, et des garçons raides, tenant contre eux des piles de cahiers; des plumes factices, géantes, étaient plantées dans le mur comme les flèches d'un jeu d'Indiens. Il fit quelques pas dans la rue chaude où le soleil déclinait. Entre de petits soleils jaunes découpés dans du carton, il vit son visage dans la vitrine et, chose incroyable, par-dessus la mer de soie bleue et les coquillages qui portaient chacun une chaussure d'enfant, il y avait le visage de Laure. Il se retourna, elle était derrière lui, les bras nus et bronzés. Il n'y avait pas de gestes ni de paroles pour ces moments-là. Pierre tendit seulement la main vers Laure et prit entre ses doigts le poignet mince qu'il encercla. « Viens, dit-il, allons chez toi. »

Elle referma la porte sur eux; ils ne s'étaient pas dit trois mots sur le chemin; maintenant, ils ne dirent plus rien. Dès la petite entrée, ils s'étaient saisis l'un de l'autre au hasard, dans le désordre des vêtements et la salive des baisers. Leur gaucherie même leur tournait la tête ; leur cœur battait violemment. Dans la chambre, tandis que Laure baissait le store, Pierre écarta d'un geste impatient le couvre-lit, et ils fermèrent les yeux en s'étendant l'un contre l'autre avec un grand soupir. Maintenant, ils étaient comme pris d'embarras, ils savaient à peine quoi faire, leur émotion, leur reconnaissance étaient trop grandes, elles leur ôtaient toute force, ils auraient presque pleuré. Puis ils se penchèrent l'un vers l'autre et, se prenant à pleines mains, les yeux fermés, ils se livrèrent à la redécouverte exaltée de leurs corps. Ils oubliaient le temps qui les avait séparés : en réalité, c'était comme si la séparation n'avait pas eu lieu. Et même quand leurs corps furent unis, leurs mains continuaient de se chercher, au hasard, sur le drap.

Puis ils burent du thé, comme autrefois, et Laure s'appuyait contre Pierre qui dit : « Que je te regarde, enfin. » « Comme tes cheveux sont clairs ! » dit Laure. « J'étais seul, dit Pierre. Je suis allé tous les matins à la piscine. » Mais le temps passait, et Pierre n'avait pas de voiture. « Je vais te raccompagner », dit Laure. Pour une fois, ils s'habillèrent tous les deux ensemble dans la petite salle de bains, et dans le doux soir tombant de la fin de l'été, il y avait comme une impression de vacances, quand on s'apprête à sortir ensemble de l'hôtel pour aller dîner. Dans la voiture, Laure regardait de biais le visage heureux de Pierre, et elle se sentit comblée. Il avait posé la main sur la cuisse de Laure et de temps en temps, sans la regarder, il la pressait doucement. Ils avaient quitté le centre de la ville, ils abordaient le quartier de Pierre. Est-ce qu'elle allait enfin savoir comment était la maison de Pierre ? Partout, devant les petites maisons à un étage, les marques de la vie partagée serrèrent le cœur de Laure. Une femme arrosait une pelouse bien taillée, puis elle lâcha le tuyau qui rebondit et lança vers le ciel un jet d'eau de couleur irisée comme des éclats de verre. Une autre, un peu plus loin, appelait quelqu'un en soulevant un panier trop lourd, et la même scène ordinaire, familiale, se répétait, à quelques détails près ; des enfants tournaient en rond sur des bicyclettes orange ; un peu plus loin le couvert était mis sur une table de fer. « Si tu veux, dit Pierre, je peux venir demain. Tu n'es pas fâchée que je sois venu ? » Oh, que ces mots éclairèrent le cœur de Laure ! Que lui importaient ces pelouses bien taillées, ces chiens que des enfants pressaient tendrement contre eux, ces dîners au frais ? Ils s'étaient retrouvés ; de nouveau ils dormiraient ensemble dans la moiteur de l'après-midi. Sans doute, ensuite faudrait-il se séparer. Mais ceux qui ne se séparaient jamais pouvaient-ils s'aimer mieux qu'eux ? « Arrête-toi là, dit Pierre, que je puisse t'embrasser. » « Ici ? » dit-elle. « Oui, dit Pierre, je suis tout près. » Et du menton il montra quelque chose, un jardin, un toit qu'elle ne put distinguer des autres. Cependant, une lueur d'orage lui sembla soudain avoir obscurci le ciel. « Viens, dit Pierre, que je t'embrasse encore. » Et il la serra de nouveau contre lui. Laure dont les yeux refusaient de se fermer avait vu de loin un volet qu'on baissait, entendu un cri d'enfant, l'aboiement d'un chien. Était-ce là ?

Comme elle rentrait chez elle, le téléphone sonnait. « Tu as mis du temps », dit Pierre. Elle ressentit de nouveau pour lui un élan sans mélange, joyeux. « J'ai faim », dit-elle. « Moi aussi, dit Pierre, je suis en fait en train de manger un reste de quiche. » « A demain, dit-il, je t'aime tellement. » Quand elle raccrocha, Laure se félicita que Pierre ne fût pas auprès d'elle : il lui semblait qu'il l'aurait gênée pour penser avec toute l'intensité requise à leurs retrouvailles de l'après-midi.

Le lendemain après-midi, à deux heures, il n'était toujours pas là. Le téléphone sonna : c'était Pierre. « Je t'attends près de l'arrêt de l'autobus, là où nous nous sommes dit au revoir, hier soir, je veux te montrer mon jardin. » Elle eut un mouvement de recul, et ne dit rien. Quoi, là-bas, chez lui ? Elle sentait un grand vide dans sa tête. Puis elle entendit de nouveau la voix de Pierre : « Dans trois quarts d'heure, je t'attends. »
De nouveau, il était près d'elle ; elle l'avait vu de loin, près des rangées de thuyas, le sourcil froncé, et deux fois il avait passé sa main sur son menton. Il la regardait mais ne la touchait pas : « Tu es là », dit-il. Il était monté dans la voiture, à côté d'elle. Les arbres s'écartèrent, la rue tourna, le bonheur envahissait Laure. « C'est ici », dit Pierre. Laure sortit de la voiture, tendue, glacée, et la main de Pierre sur son poignet lui était un secours nécessaire. Elle traversa la pelouse sans la voir, franchit de la même façon l'entrée, la grande pièce où elle vit des piles de magazines qui encombraient un canapé vaste, un peu défoncé, un paquet de cigarettes blondes sur une table basse (Pierre fumait des Gitanes), et elle reçut en plein visage l'odeur et le silence de la maison. Il y avait, çà et là, de beaux bouquets de fleurs séchées ; l'ordre et le désordre témoignaient également d'une présence attentive, mais étrangère : on ne pouvait rien

savoir, tous les signes étaient faux, trompeurs. « Ne regarde pas, dit Pierre, je traîne toute la journée d'une pièce l'autre, je ne range rien. Suis-moi. C'est ici », dit-il en poussant la porte d'une petite pièce qui donnait sur la face arrière de la maison : des rangées de livres d'enfant, des jouets, un lit étroit. « C'est là que tu travailles ? » Pierre avait commencé à feuilleter ses carnets, il les reposa. « Et là que je dors, aussi », dit-il. Il ne mentait pas tout à fait : ces dernières nuits, il avait lu dans son "bureau" et, pour ne pas réveiller Annie, il était resté à dormir sur le lit de Bruno. Il attira doucement Laure contre lui et s'assit sur le bord. Elle ne résistait pas. A travers la fenêtre venait le bruit du vent et celui du jet d'eau d'une maison voisine. Elle ferma les yeux, céda tout à fait. Son cœur cognait, le volet faisait une grande ombre sur le parquet, le vent le rabattit bruyamment. Quand elle ouvrit les yeux, Pierre, étendu sur le dos, respirait fort, le visage tourné vers l'oreiller. « Viens sur moi, dit-il, oui, comme ça. » Puis il poussa un soupir plus fort, comme une plainte. « Pardon, dit-il, oh pardon, j'ai fini comme un idiot, je ne sais pas ce qui m'a pris, j'étais si heureux que tu sois ici, je voyais ton dos, tes reins dans la fenêtre, c'était magnifique ! »

Elle le serra plus fort ; puis elle s'étendit à côté de lui ; elle apercevait au-delà de la porte un couloir, des portes fermées. Là-bas, "derrière", elle ne savait dans quelle direction, il y avait une chambre plus grande, et un grand lit. Elle ferma les yeux. Pierre s'était levé et il revenait près d'elle avec de petits carnets : « C'est tout, dit-il. Deux mois, deux petits carnets. Mais je suis content. » « Tu me montreras », dit-elle. « Je ne sais pas, dit Pierre, ça n'en

90

vaut sûrement pas la peine. » De nouveau il était debout : « Et j'ai un cadeau pour toi », dit-il. « Montre ! » « Non, tu l'ouvriras quand tu seras chez toi. »

Dans le rétroviseur, elle l'aperçut encore qui levait la main à la hauteur de son épaule, en signe d'adieu, deux fois. Une femme, à la fenêtre d'à côté, les regardait. En rentrant, Laure fit couler un bain très chaud et y resta longtemps. Elle était trop fatiguée pour penser à quoi que ce soit.

9

En cette fin de septembre, un court retour de
l'été alterna avec de brusques avancées de l'hiver,
parfois dans la même semaine, parfois dans la même
journée, comme si la saison indécise avait fait plusieurs essais avant de s'arrêter à un choix. Les matins
étaient brumeux, cette fois c'était bien la fin de l'été
et dans le ciel étouffé, on commençait à percevoir
l'odeur de l'usine de caoutchouc, cette terrible odeur
froide qui régnait tout l'hiver sur la ville. Le matin
décoloré proposait son étendue morne ; les trottoirs
luisaient, les toits aussi, comme après la pluie ; et
les arbres encore verts recroquevillaient leurs feuilles
sous les gouttes de rosée dures et brillantes comme
du gel. A onze heures le soleil était là ; à midi, il
faisait si chaud derrière les vitres que dans son bureau
Laure devait baisser les stores. Elle, qui d'ordinaire

n'aimait pas sortir à l'heure du déjeuner, prit tous ces jours-là un café avec sa collègue sur la place du Vieux Théâtre, parmi des jeunes femmes qui, comme elles, attendaient la reprise du travail, renversées sur leur chaise, dans le bruit des automobiles, les yeux fermés, offrant une dernière fois leur visage et leurs bras au soleil sans force, remontant sur leurs jambes la robe légère où le matin elles avaient frissonné dans l'autobus qui traversait une campagne hostile, plongée dans un coton gris, que trouaient la lumière jaune des antibrouillards et le battement monotone des essuie-glace. Et plus d'une disait à sa voisine (comme sa mère et sa grand-mère l'avaient fait) : « On ne sait pas comment s'habiller. Les matins sont bien frais. » A cinq heures, quand on quittait les bureaux, les magasins, le soleil avait si bien chauffé les places et les rues sans ombre qu'on pensait l'été revenu. On se serait cru, flânant après la fermeture, dans ces villes au climat chaud où les tâches quotidiennes ressemblent à des occupations de vacances, coupées de longues stations à la plage, sous les palmiers. En rentrant chez elle, épuisée par ce retour brutal de la chaleur, Laure se jetait sur une chaise ou sous la douche ; elle pensait à ceux qui avaient ''un bout de jardin'' et se félicitaient pour la millième fois d'avoir quitté ''le centre-ville'' en prenant l'apéritif et leur dîner dehors, malgré la nuit qui venait tôt, entre les haies de thuyas, par-dessus lesquelles passaient le bavardage et la radio des voisins, le bruit d'une dispute, le choc léger de la vaisselle et l'odeur des pommes de terre sautées. A neuf heures, tout était rangé, on était devant la télévision ; le ciel était incertain, de fines gouttes d'eau couvraient le bras des fauteuils. On fermait les volets sur une nuit déjà

93

froide et le grondement des postes de télévision. Ceux qui habitaient en ville les avaient fermés bien plus tôt : et il n'y avait plus personne, dans les rues, tout à fait comme en hiver, sauf sur la "placette" de la "zone piétonne" nouvellement aménagée, quelques bacs en ciment remplis l'été de pétunias, l'hiver de pensées ; des lampadaires à globes asymétriques, des bancs souillés, où les employés marocains des fabriques de la basse ville s'attardaient avant de regagner le foyer communal.

Le lendemain et les jours suivants, Laure traversa vers huit heures et demie la place du théâtre déjà encombrée, monta en courant les marches de la bibliothèque, apercevant au-dessus d'elle une grande quantité de ciel clair, aux couleurs délicates, saisie tout de même par le froid de la grande pièce, où le chauffage n'avait pas été mis et que le soleil de la veille n'avait pas réchauffée. Ses pieds étaient nus dans ses chaussures, elle avait froid. A midi, il se mit à pleuvoir ; de grandes rafales frappaient les verrières de la salle de lecture — dont l'une céda et il fallut, en attendant les ouvriers, placer un seau sous la fuite, le garnir d'une serpillière à cause du bruit monotone des gouttes. Laure sortit de son sac un œuf dur et un yaourt, le café, elle s'en passerait. « J'ai ma thermos, dit sa collègue. J'avais eu tellement froid avant-hier et hier soir, ils avaient dit que ça ne durerait pas. La preuve », ajouta-t-elle en regardant le ciel noir. « J'ai froid aux pieds, pensait Laure, je vais prendre un rhume, c'est sûr. »

Leur entente se trouva donc placée naturellement sous le signe de l'incertitude et de la mutabilité du temps. Certains soirs, comme il arrivait : « Ne me touche pas, disait Pierre, je suis en sueur, je vais prendre une douche. » « Moi aussi, disait-elle, j'ai chaud. » Ils baissaient le store, jetaient les couvertures au pied du lit ; une lumière douce, atténuée, trompeuse, les baignait ; c'était comme s'ils avaient fait la sieste à Venise, ou après une longue matinée à la plage. Leur odeur même était une odeur d'été : sous la joue de Laure, le bras de Pierre se couvrait aussitôt de sueur. Mais entre temps le ciel s'était obscurci, la pluie était venue ; en la quittant, Pierre regardait deux fois sa montre, croyant s'être trompé. La nuit était encore loin : et le cœur de Laure était douloureux et ses larmes proches lorsqu'elle se retrouvait seule dans la pièce carrée, voyant de l'autre côté de la rue quelques lumières allumées, et vers l'ouest, une bande claire dans le ciel où l'orage dispersé avait ramené un supplément de jour.

Un soir, elle sortit. Dans l'escalier, deux hommes qui rentraient la croisèrent, la saluant d'un air indifférent ; et elle entendit un instant par une porte ouverte le jappement d'un chien et le bruit des couverts qu'on remue, le sifflement d'une cocotte minute. Elle se sentait sans regret, sans passion, sans envies. Ni sa vie ni celle des autres ne lui convenaient, c'était bizarre à dire. Une fois dans la rue, pourtant, elle était désœuvrée, sans but. Ailleurs, dans une autre ville, plus grande, ç'aurait été différent ; elle serait allée voir des amis, ou entendre de la musique. Les autres années, il lui arrivait d'aller au cinéma le soir, avec Ghislaine. Mais maintenant, seule ? La vue de quelques militaires s'approchant d'une salle mal tenue acheva de la dissuader. La caissière la regardait de loin, au fond d'un bloc de verre violemment éclairé. Laure s'éloigna.

(Souvenir d'enfance : pendant des années, ses parents les avaient conduits, son frère et elle, tous les dimanches après-midi au cinéma, à la séance de deux heures. Vers cinq heures, la rue vide se remplissait ; les voitures rangées non loin de là démarraient une à une, trouant la brume d'un peu de fumée bleue ; à travers la vitre arrière on voyait des visages d'enfants, celui d'un homme engoncé dans un pardessus qui se retourne pour faire une marche arrière, une main qui essuie nerveusement la buée. Eux rentraient à pied ; bientôt le boulevard était vide ; les ouvreuses bloquaient du pied la porte battante. C'est comme cela pourtant qu'elle avait vu *Michel Strogoff* et *Les Cousins* de Chabrol.)

Elle marchait calmement ; il était près de sept heures. La rue allait se vider ; un peu partout elle entendait le claquement des rideaux de fer contre le trottoir ; les lumières s'éteignaient, seules les vitrines restaient éclairées, avec leurs mannequins aux airs traqués. Il lui semblait qu'elle était sauvée, qu'elle avait échappé à une grande imposture, et cependant elle avait le cœur lourd. Personne ne la voyait, elle allait, sans que personne n'y pense. De loin quelques lumières l'attirèrent, mais la boutique était étrangement vide derrière la grille noire qui barrait son entrée. Assise sur un banc, entourée de sacs informes, une femme édentée sourit à Laure, et lui fit de la main un signe qu'elle ne comprit pas. Puis elle tourna la tête et reprit ses rangements. Maintenant Laure avait faim, elle entra dans la dernière charcuterie ouverte, faisant la queue derrière des femmes fati-

guées qui demandaient un carton de céleri rémoulade et deux cornets de jambon à la macédoine, ou
du flan aux œufs dans des moules d'aluminium jeta-
bles. A son tour elle acheta du riz au lait, de la salade
de pommes de terre. Et elle revint lentement, entre
des alignements fantomatiques ; chaussures, lingerie
exposée sur le corps froid, parfois tronqué, d'une
femme. Des yeux bleus encadrés de cils raides la
regardaient. Au bout de l'avenue, la place de la gare
rougeoyait, avec encore un peu de mouvement, de
la circulation, et l'arrivée des taxis pour le dernier
train. Là-bas, il y avait des enfants endormis entre
les valises, au pied des tables, des soldats. Un homme
la regarda, elle vit qu'il allait traverser la rue pour
elle. Elle changea de trottoir, il ne la suivit pas. (Se
laisser aborder, un jour, et ramener chez elle un
inconnu qui ne sourit pas ? Ou le suivre dans sa petite
chambre dont le papier sali se décolle à la tête du
lit, avec dans le coin un lavabo cassé sur un bout
de lino ?) Elle revint par l'autre côté de la place du
Vieux Théâtre, longeant la terrasse vide du Grand
Café entre ses bacs de buis taillé. A l'étage, le restaurant était ouvert, quoique à demi vide ; autour
des rares couples attablés, des garçons allaient et
venaient avec des gestes feutrés, ralentis, roulant des
chariots, soulevant des couvercles, découvrant des
plats d'où montait de la buée. A l'arrêt du bus, le
trafic avait cessé ; dans le caniveau les écoliers avaient
laissé des traces de leur passage, tickets froissés, stylos
cassés, pages arrachées à un cahier avec des lettres
malhabiles au crayon feutre. Soudain, avec ensemble,
tous les feux des carrefours se mirent en veilleuse
pour la nuit, comme dans les couloirs d'un hôpital.
    Elle rentra, tenant bien droit le carton de la

charcuterie, sans démêler vraiment les sentiments qui l'agitaient : regret de n'être pas avec Pierre, nostalgie de la vie ordinaire et, tout au fond, la sensation confuse et indéniable d'être là où elle devait être, de faire ce qu'elle devait faire, de n'avoir encore une fois ni regret ni désir ; et encore une fois elle pensa que c'était un sentiment bizarre, lorsqu'on n'a pas trente ans. Dans ces moments-là, elle essayait, elle s'efforçait de se voir de l'extérieur, comme on la voyait, comme elle imaginait qu'on devait la juger, comme on devait se représenter la vie qu'elle menait : alors, un peu dc tristesse, de colère même, lui venait, le désir de faire des reproches à Pierre, de se plaindre. Mais quand le lendemain elle lui en faisait part, elle avait bien souvent l'impression de ne pas y croire elle-même. Et la honte lui venait de le voir, confondu, muet, écrasé de remords devant une revendication que — plus qu'elle — il avait trouvée légitime.

A huit heures, elle alluma la télévision. Lorsqu'elle avait quitté R., Ghislaine avait laissé à Laure un petit poste d'un modèle ancien. Au début, Laure n'en avait pas voulu. « Tu as bien raison », avait dit Pierre. « Pourquoi ? Tu la regardes bien, toi. » Finalement, elle la fit réviser, l'installa dans sa chambre (avec une antenne sur la fenêtre de la cour) sur un cube de bois blanc laqué. Elle prit ainsi l'habitude de dîner sur son lit où elle s'étendait tout habillée à l'heure des émissions régionales (une grève à l'usine de tracteurs, une exposition de photos dans une fabrique désaffectée, une inondation avec des bêtes mortes flottant sur l'eau sale entre les têtes rondes des peupliers, la conférence de presse d'un prêtre revenu d'Amérique centrale). Elle se levait, rapportait le plateau à la cuisine, se déshabillait pour regarder le film. Dans la cour, on faisait la vaisselle, une fenêtre claquait, un enfant criait ; de la buée recouvrait la fenêtre des cuisines. Elle cherchait sur le drap un peu de fraîcheur et, souvent, après le film, elle regardait encore un documentaire sur l'élevage des bassets artésiens, ou la chasse aux loups par grand froid dans les Ardennes. Elle s'endormait la tête lourde, avec un sentiment de détresse et de honte au cœur. Le lendemain, elle en parlait à Pierre : « Toi aussi, disait-il, tu as regardé ? C'était stupide, mais je n'ai pas pu résister. » Il y avait là comme une consolation tout de même et l'ébauche d'un lien. Ce qu'elle ne lui disait pas, c'est que plusieurs fois, durant la soirée, elle avait pensé à lui. Le meilleur moment, le moins douloureux, c'était celui du sommeil, car elle savait qu'en dormant, où que nous soyons, nous sommes toujours seuls. Et c'était un vrai réconfort de s'imaginer sombrant dans un même oubli où ils ne se retrouveraient sans doute pas, mais où ils échapperaient tout de même, l'un et l'autre, à ce qui les séparait. Le moment cruel était passé, celui où, vers neuf heures, on se fâche pour envoyer les enfants au lit, où l'un puis l'autre décide d'aller se coucher. (Curieusement, il importa longtemps à Laure de savoir - mais comment faire ? - s'ils se couchaient en même temps : fallait-il les imaginer se levant ensemble ? L'un porte à la cuisine les verres et les cendriers ? L'autre éteint les lampes, vérifie le volet ? et : « Prends la salle de bains, j'irai ensuite », comme font les couples unis, comme elle avait vu ses parents le faire, et Jacques avec Nicole ?)

Puis Laure éteignait la lumière et, penchant la tête dans le noir vers le creux du lit et sa propre odeur, elle s'endormit sur les mêmes questions monotones et irrésolues, sombrant à son tour dans un espace indistinct et miséricordieux, où l'entraînaient le bon sommeil de la jeunesse et l'espoir de voir Pierre le lendemain.

II

10

Dans sa famile, Pierre avait été le premier à faire des études. Ses grands-parents maternels étaient paysans; la mère de Pierre était née dans leur petite ferme, à Saint-Saturnin-sur-Leuvron, qui ne suffisait déjà plus à les faire vivre, et le grand-père avait dû prendre un emploi sans qualification à la fabrique; la grand-mère de Pierre allait parfois en "journée" faire des jardins au village. Ils vécurent cependant jusqu'à la mort du grand-père dans la maison basse, sans étage, dont la grande pièce carrée était éclairée par une seule fenêtre dans le fond — la porte de devant étant pleine, il fallait la laisser ouverte (l'été) pour avoir de la lumière; et les murs étaient jusqu'à mi-hauteur tachés de salpêtre. La mère de Pierre et ses deux oncles quittèrent l'école à douze ans; la jeune fille fut placée en apprentissage, pour devenir couturière; en 1930 elle était vendeuse au Marché Bonnetier et c'était dommage, pensait-on autour d'elle, elle "marchait très bien" à l'école, elle "apprenait tout ce qu'elle voulait". L'aîné des garçons resta pour aider son père à la ferme; le deuxième ayant échoué au concours de l'École normale ne se représenta pas et passa le concours des postes. La mère de Pierre épousa la même année un collègue de son frère. Elle s'appelait Louise, on ne l'appela jamais autrement que Louisette. Le père de Pierre fut tué en novembre 1939 : Pierre naquit en janvier 1940. Comme il était fragile il passa tous ses hivers à la campagne chez sa grand-mère maternelle; il était studieux, calme. Quand sa mère se remaria, après la guerre, avec un représentant en bonneterie, on tomba d'accord : il serait instituteur, et, qui sait ? disaient les professeurs, professeur lui-même. Pierre n'en disait rien; il se plaisait à Saint-Saturnin; il aimait surveiller l'éclosion des canards, aider au bottelage; il accompagnait son grand-père à la chasse, mais le grand-père mourut, la grand-mère ne pouvait rester seule au village — on vendit la maison, et elle vint s'installer avec eux, à R. dans un petit appartement — deux pièces sur la rue, une cuisine sur la cour (qui servait de salle d'eau) et pendant dix ans, les toilettes sur le palier. La maison était basse; par-dessus les toits, on voyait d'un côté l'évêché, de l'autre les champs. Pierre aimait la maison où il faisait si sombre qu'on devait allumer pour faire ses devoirs (l'aîné en rechignant, mais Pierre, lui aussi, "apprenait tout ce qu'il voulait").

Comme ils étaient "fils d'un tué", ils n'eurent pas de mal à obtenir une bourse : ainsi Pierre et son frère — celui-ci jusqu'en quatrième seulement —

allèrent au lycée. C'étaient les premiers de leur famille. Le fameux D.F., brillant chartiste, et Maximilien D., qui fut chef de cabinet du ministre de l'Éducation nationale, étaient dans la même classe que lui, mais il s'y trouvait aussi d'autres boursiers, des fils d'employés ou de médecins de la Sécurité sociale. Les mieux considérés, et les plus jalousés parmi ses condisciples, étaient les fils des autres professeurs, ceux à qui le professeur de mathématiques disait, juste avant le début du cours ou de la récréation : « Au fait, comment va votre père (ou votre mère)? Nous ne nous sommes pas vus depuis les oraux du bac. » Après un passage troublé (Pierre s'était mis à imiter son frère, à fumer comme lui et ils partageaient tous les deux la passion du ballon), Pierre se mit à rapporter des livres, à en emprunter à la bibliothèque, même à en acheter. C'était les premiers qui entraient chez lui. Son grand-père avait juste lu *Les Misérables* et tout Alexandre Dumas ; sa grand-mère découpait chaque semaine le feuilleton de *L'Écho de la mode*. Son beau-père, quant à lui, n'avait jamais ouvert un livre : tant que Pierre n'eut pas atteint ses quinze ans, il ne trouva pas d'inconvénient à le voir lire. Ensuite, il lui arriva de réprimer un mouvement d'humeur en le voyant assis dans la cuisine, les genoux remontés, sourd à tous les appels, un livre posé sur ses cuisses. Mais il aimait beaucoup les deux enfants, qui plus tard dirent, l'un comme l'autre, qu'« il avait été un vrai père pour eux », il ne leur avait jamais « fait sentir qu'ils n'étaient pas ses enfants ». Pierre avait appris à nager avec le fils du maire, et son professeur de lettres, Maurice Lautier, l'avait pris en amitié. Son beau-père ne lui parla plus tout à fait comme avant. La présence des livres devint ainsi autour de Pierre une servitude et une nécessité que tous acceptèrent — à laquelle ils se résignèrent — on en avait pris son parti, il "ferait des études". Il descendait toujours en retard aux repas de famille, pâle, les traits tirés, il dut même un certain temps porter des lunettes : il était "toujours dans les livres" disait-on. « Et Pierre ? Il est dans ses livres ? » Et on s'étonnait qu'il soit "si bon au football", jeu auquel il excellait avec ses trois cousins, garçons simples qui n'avaient pas atteint le BEPC. On devina rapidement que les livres figureraient désormais pour toujours dans le décor de sa vie — instruments coûteux, mais indispensables, comme le sont la trousse professionnelle pour un médecin ou le sextant et le compas d'un marin. Pierre se trouva ainsi engagé dans une voie qu'il crut avoir choisie, par le vœu de sa mère, qui voulait pour lui la sécurité du métier de fonctionnaire, mais aussi parce qu'il aimait "les livres" et ne savait pas ce qu'on pouvait faire d'autre, quand "on aimait les livres", que de devenir professeur.

L'enseignement, c'était bien le "meilleur des métiers", le plus haut des offices : un métier propre et qui laissait de grands loisirs, de longues vacances et procurait une retraite et une considération qui vous mettait presque (en l'espace d'une génération) au rang des notables, qui eux avaient hérité d'une charge, d'une fortune, d'une fonction. En même temps, en le choisissant, on ne s'enfermait pas dans une perspective égoïste comme les commerçants, les boutiquiers, orientés uniquement vers ce qui "rapporte". Que le salaire qu'on reçût ne fût pas lié directement à la quantité du travail fourni, c'était comme une garantie de désintéressement. Et puis on contribuait aussi à l'élévation générale, en dénouant les nœuds serrés de l'obscurantisme et de l'ignorance : un jour viendrait où tout le monde aurait son baccalauréat — comme un demi-siècle plus tôt on avait souhaité de voir venir le jour où tout le monde aurait son certificat d'études. Secrètement, parmi la population des marchands, commerçants, garagistes, l'idée circulait que le métier de professeur n'était pas vraiment un métier d'homme : métier trop propre et trop en contact avec les enfants, avec les adolescents, dont l'éducation est traditionnellement réservée aux femmes, et on soupçonnait les professeurs d'avoir les épaules étroites et la vue faible. (Ce n'était justement pas le cas de Pierre.) Ce qui les rachetait aux yeux de tous, c'était l'hypothèse qu'ils n'avaient choisi ce métier que pour la longueur des vacances. Quant à ce que représentaient les livres... Pendant longtemps la bibliothèque avait occupé un étage du Château, par suite de divers legs que la municipalité avait rassemblés et mis à la disposition du public deux jours par semaine. (Les archives attiraient un peu plus de monde.) Mais qui donc s'y rendait, vers 1950, hormis le fils d'un notaire, obligé de repasser en septembre un de ses examens de droit ? Personne à R. n'aurait songé à aller y lire quelque chose : en ce temps-là, on n'empruntait pas de livres. Un ancien administrateur colonial retiré fit don de ses ouvrages ; puis d'autres dons s'y ajoutèrent : ceux d'un châtelain homosexuel passionné de voyages et de photographies. En 1955, on ouvrit une salle au rez-de-chaussée pour la lecture publique, puis on engagea une, puis deux bibliothécaires. Pierre s'y rendait de temps en temps ; le jeudi soir, Lautier donnait une causerie sur la littérature moderne. Celles qu'il fit sur Gide laissèrent à Pierre une grande impression. Entre temps, on avait créé au lycée de R. une classe de préparation aux concours : comme il était normal, Lautier y fut nommé.

Il y avait pourtant aussi un théâtre, à R., mais il était fermé la plus grande partie du temps, sauf pour les opérettes et le passage des compagnies itinérantes. Pierre y vit *Le Cid* en septembre 1953, et *Tartuffe* en 1955. Le foyer abritait à Noël le goûter des enfants d'employés municipaux, celui des retraités des postes, et on dansait parfois sous les affiches jaunies de *Cavalleria rusticana*. Ce théâtre était un bâtiment sans élégance, construit vers le début du XIXe siècle (on avait rappelé à R. pour en décorer le plafond un prix de Rome qui était né là, vingt-cinq ans plus tôt, et dont le nom fut donné en 1870 à l'un des deux boulevards). En réalité, c'était un lieu incommode, à l'architecture prétentieuse — avec son foyer à glaces et colonnades et ses nymphes au plafond. L'acoustique y était excellente, mais elle amusait surtout les lycéens en visite. On entretenait pourtant le théâtre, car c'était une des gloires de la ville ; mais aucun des conseillers municipaux qui en renouvelaient régulièrement la subvention n'y avait mis le pied plus de deux fois ; il n'y eut pourtant qu'un seul tour de vote lorsqu'on proposa d'ériger une statue au peintre qui l'avait décoré. Le monument fut voté à l'unanimité.

Pour le reste, il y avait les feuilletons des journaux, la radio, puis, assez tardivement, la télévision qui emporta tout. Les deux librairies de R. ne connaissaient vraiment de fréquentation qu'à la rentrée des classes et au moment des cadeaux de Noël. Le passage par les livres était un passage obligé : pour avoir un métier, il fallait faire "des études" (terme très vague qui recouvrait toute la partie de la vie qui commence après "le brevet") ; de même qu'aux îles Trobriand il est d'usage que les adolescents passent leurs nuits dans la "maison des célibataires", il était normal qu'un garçon (et même, maintenant, une fille) aille au collège, au lycée, plus rarement à l'université (ceux-là, on pouvait en citer les noms). Mais de là à vivre "plongé dans les bouquins", il y avait un monde.

Ainsi Pierre se laissa-t-il conduire, tout en croyant conduire sa vie. « Tant pis, pensait-il, j'aurai la paix, des loisirs. » N'aurait-il pas tout le temps de se forger une vocation particulière ? Tout valait mieux plutôt que de travailler dans une usine, à la ferme ou même dans un bureau, pensait-il. Petit à petit, ses curiosités pâlirent. Il avait la paix : cette paix l'étouffa. Il ne lui demeura que la satisfaction secrète d'avoir eu partie liée avec le monde des livres, de l'art, des œuvres : son métier était tout de même ce qui s'en rapprochait le plus. Mais malgré les apparences, rien ne le distinguait vraiment de ceux dont il avait cru s'éloigner (et qui en jugeaient ainsi, le regardant, depuis son CAPES, avec un respect intimidé) : physiquement, il était comme eux, râblé, les cheveux roux, le visage carré, le nez court. Eux s'en étonnaient, accordant difficilement avec ses mains fortes l'image de distinction que sa profession lui avait automatiquement conférée. Mais il était, dans le fond, comme eux : et ils ne le savaient pas. Il n'avait plus, c'est vrai, leur défiance envers "les livres", mais il avait conservé un sentiment de dépossession qui y ressemblait beaucoup. En même temps, il avait perdu la confiance que ceux-ci exprimaient, avec une naïveté quasi animale, dans leurs propres forces, dans leur virilité (une façon d'allumer sa cigarette, de se renverser dans sa chaise, d'être homme, enfin). Il était dépossédé et malheureux de l'être : en perdant l'ignorance protectrice de ses ascendants, il n'avait gagné aucune certitude. Et il était bien près de partager les doutes de son frère Georges quand celui-ci lui demandait à quoi servait tout ce qu'il mettait dans le crâne de ces gamins. « A peu de chose, » disait Pierre, et on ne le croyait pas sincère, « je le crains. » Pour le reste, il continua d'aimer le ballon, le plein air, les repas prolongés. A vingt ans, il s'était mis à lire Boris Vian, à écouter des chansons de Brassens. Maintenant, dans son "bureau", la rangée des éditions Budé l'étonnait : « Quand je pense que je lisais tout cela, disait-il, et dans le texte ou presque. » Son mariage avec Annie avait achevé de le séparer de sa famille : elle venait d'un milieu "meilleur" que le sien, où personne n'avait jamais, dans une administration ou une banque, occupé un poste comparable à celui de cette jeune femme ambitieuse et décidée. Annie lisait peu, sauf de temps en temps des "polars" ou les prix littéraires que son père, chaque année, leur offrait pour Noël, et la collection reliée de skaï blanc des Nobel, qu'ils rangèrent dans un petit meuble à cet effet, dans leur entrée. Parfois, Pierre sentait un vide, que le temps n'apaisa pas ; mais la semaine était vite revenue écarter ce sentiment inutile : les cours, les enfants, les copies, les soirées douces, à la maison. Dans sa famille, c'était un tel luxe d'avoir un moment à soi, "un quart d'heure pour souffler", un dimanche de temps en temps ou même une heure en fin de journée ! Pierre finit par ne plus se distinguer d'elle en rien, malgré les livres inutiles, qu'il n'ouvrait plus, et dont l'accumulation l'avait obligé à commander chez M.D. des rayonnages façon teck, qui portèrent à son comble l'admiration de sa mère et celle, plus secrète, de son beau-père.

Avec Laure, cependant, quelque chose changea. Il reprit goût aux livres, avec elle, pour elle. Laure avait commencé une licence de lettres, cela les rapprocha : comme lui elle avait connu l'angoisse du mois de mai et le souci des oraux (car elle leur préférait l'écrit, étant peu bavarde et n'aimant pas qu'on la harcèle). Ensemble, ils retrouvèrent le goût adolescent des conversations prolongées, où l'on s'engage à tout dire. L'amour leur donnait sa force : quoique sans se le dire, ils conçurent ensemble une forme de vie où l'art, les voyages, le théâtre auraient été le complément naturel de l'amour, comme dans les biographies d'écrivain, ou les correspondances, qu'ils échangeaient.

Laure, pour sa part, n'avait pas conçu de regret de s'être arrêtée si tôt, de ne pas être devenue professeur. Mais sa mère, fille de sous-officier et qui n'avait jamais travaillé, ayant à dix-sept ans épousé un agent d'assurances, en avait toujours porté le regret. Aux yeux de sa mère, il fallait que Laure ait un métier de "femme", non pas infirmière ou assistante sociale, comme les jeunes filles de la bourgeoisie, mais institutrice ou professeur. Vers quatorze ans, Laure partageait ce point de vue : elle se voyait très bien sous les traits de son professeur d'allemand, une jeune femme vive et brune, qui avait trois enfants rapprochés et conjuguait avec un entrain sans défaillance les soins du ménage et ceux de l'enseignement, qui expliquait sans aucune gêne le lundi matin à ses élèves ses yeux battus et son air fatigué par la rougeole d'un de ses fils. Laure aimait la voir passer dans le couloir interdit aux élèves pour se rendre à la salle des professeurs, avec ses chaussures confortables, son manteau de loden beige, ses foulards imprimés et son sac en peau de porc, d'où elle sortait le paquet des "compositions" entouré d'une bande de fort papier brun.

Les choses ne se passèrent pas tout à fait comme Laure ou plutôt sa mère l'avait imaginé. Elle acheva sa troisième année d'université à Bordeaux, fut déçue par les amphithéâtres trop grands, les salles trop petites, les "T.D." où les étudiants qui ne se connaissaient pas entre eux ne retrouvaient qu'une fois par semaine un professeur distant qui au bout de l'année ne savait toujours pas leur nom. Elle passa le concours des bibliothécaires, fut reçue et nommée à R. à la rentrée de 1972. C'était bien. Il lui sembla cependant que les professeurs des deux lycées qui venaient le mercredi emprunter des livres la regardaient avec un peu de condescendance ; ils l'enviaient, disaient-ils, de n'avoir pas de versions latines à corriger ; mais elle voyait bien qu'ils trouvaient secrètement ses occupations subalternes et ses compétences limitées : ils ne la consultaient presque jamais, semblaient toujours connaître mieux qu'elle le titre, l'édition et même l'emplacement des livres. En juin, ils la plaignaient : le bureau était sombre, elle y restait seule deux demi-journées. « J'aime tout de même mieux le contact des gamins, disaient-ils à la sortie à l'un de leurs collègues. Les livres, ça sent toujours la poussière. » « Au moins, vous avez le temps de

112

lire », lui concédaient-ils. « Pas tant que vous croyez », disait Laure. Mais elle ne s'ennuyait pas ; elle entreprit dès la deuxième année de faire revenir dans la salle de consultation l'Encyclopédie de Diderot et d'Alembert, le Furetière, le Richelet, le Dictionnaire de l'Académie française ; elle les remit en état et les regarda avec satisfaction. Cette masse de pages mortes s'animait et sur les dos de vieux cuir adouci le soleil ajoutait des teintes chaudes. Elle pensa qu'elle avait fait quelque chose d'utile.

11

Quelques mois plus tard, elle rencontrait Pierre. Elle venait de fêter son anniversaire à la mi-décembre, il y eut comme chaque année, pour le Noël des deux lycées, une soirée théâtrale, suivie d'un "verre". Laure ne se souvenait jamais bien des circonstances. « Je me rappelle parfaitement, disait Pierre, tu étais un peu à l'écart, tu causais avec cette fille brune, pas mal, un peu vulgaire. » « Ghislaine, disait Laure, tu vois, c'est Ghislaine que tu avais remarquée, pas moi. » « Que non, disait Pierre, c'était toi, je le sais parfaitement. » En revanche, Laure se souvient beaucoup mieux que Pierre de leur deuxième rencontre. « A la terrasse du café de la Mairie », dit-elle. « Et c'était la seconde fois ? » dit Pierre. « Parfaitement », dit Laure. « Pourtant, dit Pierre, je me souviens bien d'être allé à la bibliothèque, pour

chercher quelque chose vers janvier dans le Dictionnaire de l'Académie... » « Ah, tu as peut-être raison », disait Laure.

A partir de ce moment de leur histoire, ils étaient
complètement d'accord et retrouvaient ensemble
chaque détail. Il leur arriva donc de boire un café
ensemble, et Pierre prit aussi l'habitude de venir travailler à la bibliothèque "plus calme que celle du
bahut", d'y emprunter des livres. Progressivement,
de rencontre en rencontre, de causerie en causerie,
sans le savoir, ils avaient pris chacun beaucoup d'intérêt pour l'autre. Sans qu'une parole ait été dite, un
geste fait, une sorte d'entente était née entre eux ;
ils se parlaient comme de vieux amis ; si c'était de
l'amour, on avait bien le temps de le savoir, à quoi
bon se hâter ? Puis l'amour de Pierre pour Laure
se mit à croître à un point prodigieux ; il rêvait d'elle,
il imaginait qu'il l'attendait dans la rue, qu'il montait chez elle, mais il ne le faisait pas. Il s'en émerveillait, jugeant que c'était un gage de profondeur
que cette capacité d'attendre. Il leur semblait à tous
les deux que "quelque chose" allait survenir inévitablement, qui les récompenserait au centuple d'avoir
autant attendu. A les voir tous deux familièrement
accoudés à une table du café de la Mairie (ce qu'ils
évitèrent par la suite), on n'aurait pas eu de doute
sur la nature de leurs relations : on se serait pourtant trompé. Pierre regardait le haut de ses bras
bruns, où il aurait voulu poser ses lèvres ; il souriait.
« Je dois y aller, disait-il, c'est l'heure. » Laure le
quittait, rejoignait joyeusement Ghislaine ou son
autre collègue de bureau. Une peur les tenait en sus-
pens, une insouciance et une certitude. Il y avait déjà
entre eux cette sorte d'amitié qui fait suite parfois

115

aux liaisons défaites : ils savaient cependant l'un et l'autre qu'ils n'en resteraient pas là, mais ils ne faisaient rien pour hâter les choses.

Un jour, il la raccompagna en voiture (il pleuvait, ou bien elle était en retard, ou bien il devait rentrer chez lui, il ne le sait plus maintenant quand il y pense) ; en la quittant, il l'enlaça maladroitement et la laissa pourtant partir sans l'avoir embrassée. Quoiqu'il ne sût rien d'elle, il avait en même temps le sentiment de n'avoir jamais rencontré de femme comme Laure. Mais soudain l'amour entre eux éclata et il ne fut plus possible de le contenir dans cette attente indéfinie où il était resté à mûrir. En fait, il n'avait pas mûri : c'était leur entente qui avait soudain changé de forme, et qui devint en l'espace de quelques jours une passion où ils s'absorbèrent tout entiers. La fréquence et la régularité de leurs rencontres leur étaient devenues indispensables : de plus, il leur fallait à l'un et à l'autre des rendez-vous imprévus, à Pierre des coups de téléphone nocturnes. A la fin de mai une chaleur inattendue s'établit à un niveau où l'on croyait qu'elle ne pourrait pas se maintenir ; mais elle s'y maintint, avec des nuits à peine plus fraîches que les jours. En se quittant, ils ne cessaient d'être occupés l'un de l'autre, de se voir, de s'entendre ; de se toucher presque ; leur peau n'oubliait pas un instant la chaleur, la saveur et le contact de la peau de l'autre. Ils voyaient toutes les choses à travers la brume dorée de leur entente ; le visage de l'autre, sa démarche, sa silhouette jetaient chacun des deux dans un état d'oppression, d'angoisse, qui ne se calmait que lorsque leurs corps se retrouvaient si proches que leurs yeux ne se voyaient plus, et muets, hors d'haleine, privés de

116

parole et de lumière, ils se saisissaient avidement du corps de l'autre comme pour être plus près de ce que son apparence cachait.

Et quand ils se quittaient, leur fatigue colorait tout : les arbres du boulevard luisaient, et dans l'épaisseur de leur feuillage d'un vert sombre, poussiéreux, ils sentaient une présence, un appel, presque une menace en écho à ce qui s'était éveillé en eux. C'était comme si derrière le monde visible, l'entente de leurs corps en avait découvert un autre, plus profond ou plus haut, plus rayonnant, noir. Il leur arrivait tout de même de sortir un peu, d'aller marcher dans l'ancien quartier derrière la place Biette. Le printemps colorait la façade de quelques vieux hôtels ; la circulation y était tout à fait inexistante ; un chat s'enfuyait sous les branches ; de petites maisons montraient des portes aimablement ouvertes sur la rue, avec des vieux dans le fond, autour d'une table couverte d'une toile cirée. Pierre s'arrêtait pour serrer Laure contre lui, l'entraînait sous un porche pour baiser ses lèvres ; à deux pas, c'était le boulevard, le lycée, des amis, des connaissances ; là, ils étaient seuls, et protégés, Pierre levait doucement vers lui le visage de Laure et le regardait longtemps avant de baiser une fois encore ses lèvres. Cependant ils eurent de moins en moins envie de sortir, car ils étaient anxieux de se retrouver aux bras l'un de l'autre et lorsqu'ils marchaient côte à côte sur le trottoir, l'évidence de leur lien les brûlait, aimantait leurs mains, de sorte qu'ils devaient se donner une sorte de maintien rigide et guindé qui les trahissait autant que leurs sourires, leurs regards. Quand il leur arrivait de se rencontrer dans la rue, ils se regardaient immobiles, surpris : le temps s'égouttait autour d'eux lentement ; des inconnus les entouraient, et ils entendaient autour d'eux comme un avertissement et une menace, comme le tocsin qui annonce une guerre, un incendie, et ils restaient la bouche sèche et les genoux tremblants. La révélation qui s'était produite en eux à l'insu de tous et presque d'eux-mêmes, les rendait complices et solidaires de toutes les métamorphoses du monde : des femmes enceintes faisant la queue à l'arrêt de l'autobus ; des peupliers nouveaux se courbant ensemble dans le vent ; du chant au petit matin des oiseaux qui s'éveillaient devant l'hôtel de ville, quand Pierre rencontrait Laure avant qu'elle aille à la bibliothèque.

Laure, comme lui, se trouva d'emblée installée dans quelque chose qu'elle n'avait pas choisi, qui avait fondu sur elle, et qu'elle n'avait pas la possibilité d'accepter ou de refuser : c'était ainsi. Elle ne l'avait pas voulu, mais il n'y avait pas de retour. Elle aimait Pierre, Pierre l'aimait. De cela, ils étaient sûrs ; et cette vérité qui se confirmait chaque jour dans une hâte tremblante et la certitude de ne pas être démentie les enveloppait d'un voile protecteur très efficace. Que Pierre dût la quitter chaque soir pour rentrer chez lui, c'est à peine (le croira-t-on ?) si Laure s'en apercevait ; elle était presque soulagée d'échapper pour quelques heures à cette tension qui ne lui laissait pas de répit. Ghislaine ne posait pas de questions à Laure, qu'elle voyait moins, s'abritant derrière une discrétion feinte, attendant que Laure parle. « Méfie-toi tout de même », lui dit-elle un jour seulement. Mais se méfier de quoi ? De Pierre ? C'était plutôt Pierre qui paraissait avoir besoin qu'on le défende ; Laure n'aurait pas su dire contre quoi.

Quant à elle, de quoi qu'il s'agît, c'était justement Pierre qui la défendait le mieux.

(Tous ceux qui connaissent Laure depuis son enfance s'accordent à lui reconnaître une qualité : Laure a "bon caractère", elle est calme, se fâche rarement, se soumet sans murmurer. Cependant, on devine aussi en elle quelques traits contradictoires ; une adhésion intransigeante à quelques principes simples dont elle n'est pas toujours consciente. Dès ses premières photographies, elle montre ce visage sérieux, qui sourit peu, mais doux, avec des cheveux châtain clair qui bouclent ; des yeux sombres ; une bouche petite, une gravité. Elle tient contre elle une poupée, sans tendresse excessive ; ou encore la main de son frère. Elle s'applique dans tous les cas à regarder bien droit devant elle. Sa mère la cite en exemple : « Je dois reconnaître, dit-elle, qu'avec Laure, c'est sans histoires. » En effet, sans histoires, Laure franchit les étapes de la petite enfance ; ne pleure pas la nuit, n'est pas souvent malade, apprend rapidement à lire et surprend par la vivacité de ses questions. Elle dessine et peint joliment ; son calme constant est troué par de vifs éclats de joie, lorsque son frère la poursuit en criant dans les allées du jardin. Mais elle ne se salit pas, ne déchire pas sa robe (sauf en escaladant un jour le vieux pommier) ; ses cheveux brillent, bien partagés par une raie. Elle aime beaucoup lire. Son frère a connu un parcours plus brutal et plus chaotique : dans la famille de Laure, on attribue cela à la différence des sexes. Il a eu longtemps peur dans le noir ; et pleure avec des sanglots excessifs qui le laissent épuisé (par exemple le jour terrible où il s'est pris la main dans la porte du grenier) jusqu'au moment où on lui en a fait honte : « Regarde ta sœur, lui dit-on, elle ne pleure jamais, et pourtant c'est une fille. » Cette remarque le frappe mais ne le guérit pas tout de suite. Il arrive que Laure le regarde avec réprobation lorsqu'il reçoit une observation pour quelque révolte inutile, quelque débat interminable avec leur mère. En apparence, en effet, Laure accepte tout : les conseils de ses parents, ceux de ses professeurs. Elle s'attire d'ailleurs peu de réprimandes, étant une élève honorable, plus faible en mathématiques. Ce qu'on ne sait pas, c'est ce qu'elle pense vraiment : en particulier, si elle accepte toutes les consignes sans murmure, est-ce parce qu'elle les approuve ou parce qu'elle trouve bien inutile de lutter contre elles ? Ses parents, du reste, la talonnent moins que son frère, toujours sommé d'être "premier". Il finit un jour par copier bêtement sur son voisin, un gros garçon bien moins doué que lui. La faute causa la stupeur des parents, plus encore celle de Laure. « Elle, c'est sans histoires », commente une fois de plus leur mère, femme autoritaire, pour qui « Jacques, c'est autre chose ». Il y a de la fierté dans sa voix lorsqu'elle parle de son fils, en qui "elle se retrouve" avec satisfaction, y compris dans son humeur frondeuse.

A quinze ans, donc, Laure s'est forgé une idée du monde dont elle ne sortira pas. Elle passe en Seconde ; sa meilleure amie la quitte car elle entre aux PTT après son brevet. Laure a observé très tôt qu'il ne faut pas attirer sur soi le regard des autres si on ne veut pas se retrouver aussitôt en guerre ou en concurrence avec eux. De sorte que, sans avoir à lutter jamais, Laure arrive toujours à ses fins, qui sont modestes. En cela, elle est bien comme le dit sa famille "tout le contraire de son frère", orgueilleux, colérique, sombre, très gai. Les choses sont ce qu'elles sont : cela ne veut pas dire qu'on les accepte, encore moins qu'on les approuve ; mais à quoi bon se rebeller contre elles ? Que le monde soit ce qu'il est ne vous engage à rien vis-à-vis de lui : il peut très bien continuer ainsi, sans votre soutien. Laure sut tout de suite que, si elle avait essayé d'y résister ouvertement, elle n'eût rien changé et se fût probablement brisée. Lorsqu'une règle généralement admise ne lui convenait pas, elle n'en faisait pas une affaire : elle l'écartait sans rien dire. Elle était différente peut-être, mais ne se sentait pas en faute. Elle continuait à reconnaître pourtant la légitimité d'une maxime dont elle s'exceptait personnellement. Ne heurtant jamais personne de front, ne tentant jamais de gagner quelqu'un à son point de vue, elle ne rencontra que peu de résistance ; et le monde et elle poursuivirent ainsi leur marche souvent parallèle, parfois divergente, sans que Laure songeât à s'en plaindre, sans que le monde eût à s'en choquer. Lorsqu'elle passa son baccalauréat (une petite mention Assez Bien, en section philosophie, c'était exactement ce qu'il fallait pour contenter sa mère), son frère Jacques sortait de l'École des Mines ; l'été suivant, il se mariait. « Je l'aime vraiment, dit-il à Laure en parlant de Nicole, sa fiancée. Cette fois, c'est différent. » Qu'est-ce qu'aimer vraiment ? se dit Laure. Pour Jacques, c'était avoir une maison, des enfants, "construire" ensemble quelque chose. Laure se représentait les choses de la même manière ; simplement, elle ne voyait pas bien comment elle y participerait. Plusieurs fois elle "sortit" avec des amis de son frère, l'un d'eux surtout qui la serrait très fort en dansant avec elle et lui proposa de partir en vacances ensemble, l'été suivant. « Mais, dit-il, c'est un engagement, pour moi, c'est important, il faut que tu réfléchisses. » Ces mots firent à Laure une impression désagréable. D'un autre côté, le jeune homme lui plaisait beaucoup ; il était blond, assez pâle, mais souple et délicat dans ses manières. C'était un garçon de milieu modeste, sérieux, (« trop sérieux » disait Jacques), qui s'était persuadé très jeune que les hommes "font beaucoup de tort aux femmes" en ne songeant qu'à leur plaisir et qui ne voulait pas être de ces hommes-là. Lorsqu'ils dansaient dans les longues salles surchauffées des bals d'étudiants, avec des rangées de chaises sur les côtés, un orchestre sur le devant et des tables dans la pièce voisine pour les rafraîchissements, elle avait plusieurs fois senti le souffle plus court du garçon sur son cou, et contre sa hanche son corps durcir. Elle en avait ressenti du trouble ; elle le serrait plus fort, avec tendresse, mais il lui semblait qu'elle ne devait pas aller trop loin dans cette voie, au bout de laquelle l'attendaient de pesantes contraintes, immuables. Elle devinait qu'en lui parlant ainsi, en la regardant avec sérieux, le jeune faisait avec elle ses vrais débuts dans la vie, son apprentissage de père et de procréateur, et que tous leurs jeux devaient tendre à cette fin. (Plus tard, lorsqu'ils eurent définitivement rompu, il garda de l'amitié pour les parents de Laure auxquels il avait obtenu d'être présenté : lorsqu'il se maria, par inconscience ou affection véritable, il leur envoya même un faire-part. Les parents de Laure parlaient entre eux du jeune homme et faisaient des vœux pour son bonheur, pour sa réussite, comme font certains beaux-parents avec leur ancien gendre.)

L'année suivante (où Laure décida de passer le concours de bibliothécaire), ils se virent davantage ; un soir, il resta. Il était pressé, furieux, rapide, Laure ne comprit pas très bien pourquoi. Cependant, il était prudent, et ne lui fit courir aucun risque. Mais déjà il se comportait avec une autorité tendre ; prétendait la guider dans ses lectures, choisissait les films qu'ils allaient voir. A la sortie ils mangeaient une pizza. Et puis, aussi, ils s'amusaient beaucoup, avaient des fous rires, se poursuivaient. Laure préférait presque ces moments à tout le reste. « Ce qu'il lui faut, disait Jacques sans avoir l'air d'y toucher, c'est une maison tranquille. Il est très fort, ajoutait-il, il fera de la recherche. »

Lorsque Laure reçut son affectation à R., elle ne lui en parla qu'au dernier moment. Il comprit. Sa déception était si vive qu'il pleura. Laure aussi, mais cela ne changeait rien. Sa décision était prise.)

« Alors, dit Ghislaine un jour (on sentait que le silence commençait à lui peser) quand est-ce qu'il divorce ? » « Je ne sais pas, dit Laure, que ces mots avaient choquée, nous n'en avons jamais parlé. » Ghislaine haussa les épaules. Ghislaine avait été nommée à R. un an avant Laure ; elles s'étaient tout de suite liées. C'était une jeune femme mince et bien faite, au visage animé, aux yeux clairs. Elle s'habillait avec une audace qui stupéfia Laure ; elle mettait d'ailleurs dans tout ce qu'elle faisait une grande liberté. Les premiers mois à R. de Laure (qui était encore sous le coup de la rupture qu'elle avait pourtant jugée indispensable) en furent éclairés. De Ghislaine, Laure prit le goût des dîners qu'on fait en écoutant de la musique et en buvant de grands verres de vin de bordeaux. Laure fut un peu surprise un soir que Ghislaine lui demandât de rester dormir. C'était une chose qu'on ne faisait jamais chez elle de peur de déranger. Dans la nuit, elle l'entendit pleurer : « Qu'as-tu ? » dit-elle. D'une petite voix, Ghislaine le nomma. "Il" avait quelqu'un d'autre, elle en était sûre. « Donne-moi quelque chose à boire », ajouta-t-elle. Elles finirent ensemble la bouteille de bordeaux.

Au matin, Ghislaine avait les yeux cernés, le visage défait. Elle resta des heures devant le lavabo à se mettre des compresses d'eau froide. « Je ne veux pas pleurer pour ce type », disait-elle, et cette phrase seule suffisait à ramener ses larmes. L'été suivant, où Laure et Pierre eurent tant de mal à se séparer (c'était la première fois), Ghislaine partit au Mexique ; elle en revint consolée, le teint jaune et les yeux creux : un parasite intestinal, très fréquent là-bas. « Et toi ? dit-elle. Où tu en es ? » « Ça va », dit Laure paisiblement. Une fois de plus, Ghislaine haussa les épaules. « Et tu es contente ? » Cela se voyait. Ghislaine haussa les épaules encore. A Laure le sentiment s'était révélé dans toute sa pureté, mettant définitivement de côté les questions épineuses de la vie, les engagements, la maison, les enfants.

Elle tenta maladroitement de l'expliquer à Ghislaine. « Je ne sais pas, dit celle-ci, peut-être. » Mais Laure expliqua cette mauvaise volonté par un accès de la fièvre que Ghislaine avait rapportée du Mexique. Du reste, Ghislaine l'embrassa avec beaucoup d'élan le soir même en la quittant.

12

L'amitié de Laure pour Ghislaine, ses conversations avec elle, lui démontrèrent assez vite qu'il y avait en réalité deux sortes de femmes et qu'elle n'appartenait peut-être bien ni à l'une ni à l'autre. Il y avait d'abord les jeunes filles patientes et décidées, comme était sa belle-sœur Nicole, celles qui avaient manœuvré avec une habileté tout à fait inconsciente et qu'on aurait offusquées en leur montrant le piège où un homme était venu se faire prendre. Il n'y avait cependant en elles aucun cynisme avoué, aucun calcul, seulement l'application calme et joyeuse d'une loi en laquelle on avait toute confiance et qui légitimait votre action. Si piège il y avait, c'était le piège de l'espèce. Ils s'y prenaient du reste l'un et l'autre, volontairement, de leur propre consentement, et ce faisant ils n'avaient été rien d'autre que l'illustration d'une généralité qui les dépassait. Et ils se retrouveraient devant les questions que celle-ci avait prévues, dont la solution avait été tentée de façon presque semblable par des dizaines de couples avant le leur.

Ghislaine était quelque chose de tout différent : elle avait d'emblée choisi un chemin aventureux, chaotique, passionné, qui la menait d'une "histoire" douloureuse à une autre "histoire" qui ne l'était pas moins, même lorsqu'elle survenait à point nommé pour la consoler de la précédente. De même que Laure avait regardé avec une fascination légèrement mêlée de répulsion les amours de Nicole et de son frère Jacques s'orienter invinciblement vers le mariage, comme elle eût assisté à quelque ballet réglé ou à la parade nuptiale d'un couple de paons, de la même façon elle assistait aux découragements de Ghislaine, à ses colères, à ses emportements, comme on observe les actions d'un être sur qui pèsent un instinct, une fatalité, dont l'accomplissement ne demande ni intelligence ni volonté. Ghislaine se levait le matin le teint brouillé, avalait quelques cachets d'Héparil, se ruinait en vêtements coûteux qu'elle traitait sans égards ; ne se lavait pas avec beaucoup de soin et répandait une odeur chaleureuse, de musc, de parfum, qui, sans incommoder Laure, produisait sur elle un effet désagréable (mais c'était peut-être ainsi, pensait Laure, que les hommes identifient du premier coup les femmes "du genre" de son amie ?). Elle se teignait les cheveux, parfois exagérément, mais ses ongles de pieds peints n'étaient pas toujours très propres, et ses cheveux eux-mêmes sentaient la sueur, la fumée de cigarettes, et le patchouli qu'elle gardait dans de petites bouteilles sirupeuses, écœurantes. Se rejetant sur le dossier du fauteuil avec une grâce sensuelle qui découvrait l'envers de son genou brun ou son aisselle imparfaitement épilée, elle riait, ouvrant grand la bouche, montrant ses gencives rouges, ses dents parfaites, et le fond humide de sa gorge. Dans le même temps, malgré les apparences, Ghislaine n'était sûre de rien, sauf d'un pouvoir sur les hommes dont elle usait immodérément — même sur ceux qui "ne lui disaient rien", qu'elle trouvait "trop vieux" ou "trop moches", "vulgaires" : le garçon boucher, le porteur de télégrammes. Il semblait à Ghislaine que sa journée eût été manquée si, en descendant d'un taxi, elle n'avait pas surpris sur son genou haut dégagé le regard du chauffeur ou d'un passant sur le trottoir. Ce manque de confiance se trahissait par des nuits sans sommeil, des crises de foie, des "coups de pompe", des abattements prolongés dont elle commentait sans fin la cause et les conséquences sur le canapé de Laure, s'étirant, allumant une nouvelle cigarette. Mais elle avait aussi pour Laure des attentions charmantes : ne venait jamais dîner sans un petit bouquet de fleurs ou un vase, des cadeaux variés qu'elle disposait à son gré, bousculant impatiemment l'ordre d'un appartement auquel elle trouvait un côté "postière".

La jeune vie de Ghislaine (elle allait avoir vingt-six ans) était en réalité déjà remplie de "trahisons" qui lui avaient donné une philosophie courte et répétitive. Les jeunes hommes qu'elle avait rencontrés avaient tous été légers, futiles, inconstants, n'avaient pas tenu leurs promesses (parfois ils n'en avaient pas fait du tout). Et pourtant cette fois encore "elle y avait cru". Elle "y croyait" toujours. En même temps, elle "l'avait échappé belle", disait-elle,

127

lorsqu'un an plus tard elle revoyait l'infidèle, poussant un chariot au supermarché aux côtés d'une jeune secrétaire enceinte. « Je le sais bien, disait-elle, ils me regretteront toute leur vie, je suis "ce qu'ils auront eu de meilleur". » « Lui aussi », disait-elle tout bas à Laure en montrant un gros jeune homme qui s'effaçait pour laisser entrer une femme à l'hôtel des Postes, Ghislaine faisait un deuxième signe imperceptible de la tête ; le garçon avait tourné ostensiblement la sienne en les apercevant.

Aussi Ghislaine était-elle conforme à son image en regardant naître en Laure avec une curiosité mêlée de soupçons (défiance, pessimisme, incompréhension, mêlés d'un peu d'envie) une passion comme elle n'en avait jamais connu, qui était sur le point d'emporter tout. Mais Laure ne disait rien, là encore elle gardait ce silence et une mesure qui étaient son héritage : ce qui s'était établi entre elle et Pierre (en admettant que ce fût le mot juste : leur impression à tous les deux était plutôt qu'ils avaient été débordés) n'avait pas de nom. Elle ne pouvait le comparer à rien qu'elle eût vécu. Et si vaste qu'elle fût, l'expérience de Ghislaine n'aurait pu lui être d'aucun secours. Devant ce qui ne tarda pas d'arriver, non plus : devant la première apparition d'un "malheur" tout à fait spécifique, Ghislaine aurait sûrement su prévoir mais non pas guérir, pas mieux en tout cas que Laure.

C'était environ un an après leur rencontre : au début du printemps de 1974. Pierre avait accompagné Laure, contrairement à ses habitudes, dans une grande surface à la sortie de la ville ; et elle sentait son bras autour de ses épaules tandis qu'ils regardaient un étalage de tissus pour rideaux. C'est alors que la chose arriva. S'écartant d'elle pour aller vers une vendeuse, Pierre avait fait trois pas et elle l'entendit distinctement qui demandait le prix des moquettes pour salle de bains. Elle le rejoignit : « Pourquoi faire ? » dit-elle. « Qu'est-ce que tu veux que je fasse d'une moquette dans la salle de bains ? » « Mais non, dit Pierre calmement, c'est pour la maison. » La maison ? Un voile noir tomba devant les yeux de Laure, elle sentit en elle quelque chose qui s'écroulait. Elle vit le linge qui sèche, un tube de rouge à lèvres ouvert, des taches de savon, des cheveux, elle entendit le battement d'une machine à laver, une voix : « Dépêche-toi, je voudrais mettre le linge à sécher ! » Autour de cette pièce intime et interdite, confusément, toute une maison s'organisait ; des chambres défaites au matin, ou le soir, dans la faible lumière des lampes de chevet, la voix douce des enfants qui n'arrivent pas à s'endormir et se racontent tout haut des histoires. Pierre ne s'était aperçu de rien et, sans avoir obtenu le renseignement qu'il désirait, quitta le magasin avec Laure.

De retour chez elle, celle-ci n'avait pas retrouvé le calme. Il pleuvait ; il faisait froid. Elle ressortit, la nuit était déjà tombée ; il fallait qu'elle sache, il fallait qu'elle voie. Dans sa voiture, la buée la gênait ; les essuie-glace rythmaient son angoisse. Elle ignorait quelle direction prendre ; tourna deux fois, et par des rues éloignées du centre, le cœur battant toujours plus fort, elle gagna le quartier où Pierre habitait. Comment se faisait-il qu'elle n'eût jamais fait l'effort de se le représenter ? Comment avait-elle pu imaginer qu'il disparaissait dans un univers brumeux, magique, sans contours ? La réalité était là, impitoyable, dans ces maisons basses, toutes semblables, toutes marquées cependant des traces de la vraie vie. Elle essuya la buée du revers de la main, n'obtenant qu'un barbouillage encore plus impénétrable, et mit le chauffage; cette fois elle n'y vit plus du tout et elle ouvrit la fenêtre. Elle étouffait. Suivant au ralenti des rues qu'elle ne connaissait pas, dont elle ne parvenait pas à déchiffrer le nom, longeant des pavillons aux volets fermés, elle sentait son cœur douloureux et la sueur venir à ses paumes. Une rafale de pluie passa par la vitre, elle s'apaisa, et vit la voiture de Pierre rangée parmi d'autres sur le bas-côté à peine terminé. Était-ce à gauche, à droite? Derrière le rideau oblique de la pluie battante, elle aperçut un lampadaire jaune et la barrière d'un petit jardin. Elle s'arrêta, il lui semblait qu'elle était sommée de le faire, convoquée par une force impérieuse, qui lui eût dit : « Regarde! » comme lorsqu'on assiste à une reconstitution judiciaire dans le froid de l'aube et la parodie de l'action. « Regarde! » disait en elle une voix qui ne lui voulait pas de bien, sur un ton impitoyable. Où étaient les douces images dont ils se nourrissaient? La pièce calme où elle aurait aimé l'attendre patiemment, dans le soleil qui descend? Elle baissa de nouveau la vitre; un fouettement de pluie balaya son visage et ses cheveux, se mêlant à ses larmes. Le vent vif ployait des branches et les rabattait contre une façade aux volets ouverts. Au milieu, une porte-fenêtre était éclairée. Puis la porte s'ouvrit et dans le rectangle de lumière jaune, un homme sortit, écouta, fit un pas puis rentra. Elle avait remis le moteur en route, affolée, le cœur lui battant dans la gorge, et elle fit demi-tour au rond-point. Quand elle repassa devant la voiture de tout à l'heure, elle s'aperçut que ce n'était pas celle de

Pierre. Elle s'était donc trompée ? Du coup, ses larmes redoublèrent. Elle rentra, sans trop savoir comment.

Curieusement, cet épisode brutal fut aussitôt oublié, soit en raison de sa violence même, soit parce qu'il fallait effacer rapidement l'avertissement et le message qu'il contenait. Mais quand un autre épisode de la même nature se produisit, Laure le reconnut rapidement comme on reconnaît à sa deuxième attaque un mal qu'on croyait disparu ; et l'on comprend alors qu'il est là pour longtemps. C'était la même douleur. Durant tout ce temps, elle l'avait enfouie mais elle n'avait pas fait disparaître ce qui en était la cause. Un jeudi après-midi qu'elle attendait chez le dentiste, elle ressentit soudain en elle une oppression, une fatigue, un remords. Elle posa sur ses genoux la revue qu'elle était en train de feuilleter ; la sensation s'atténua, mais ne disparut pas tout à fait. D'où était venue cette souffrance absurde, sans cause ? Elle reprit le journal, une image lui sauta aux yeux. C'était celle d'une publicité dessinée, montrant une pelouse où s'ébattaient trois jeunes enfants avec un chien, et un peu en arrière une femme qui, devant un pavillon, adressait des signes joyeux à un homme qu'elle ne vit d'abord pas, puis qu'elle aperçut au volant d'une voiture qu'il rangeait ou avec laquelle il s'apprêtait à partir au travail. Une tondeuse à gazon était appuyée contre la porte du garage. Elle referma la revue et attendit patiemment l'appel de son nom.

A chaque nouveau retour la douleur se cicatrisa,

mais moins vite ; et avec le temps la place sensible ne se creusa pas davantage, mais ne guérit plus jamais. Avec le temps aussi, Laure constata que les rappels de souffrance se faisaient plus nombreux : elle ne sut comment les interpréter. C'était comme un muscle dont la souplesse se perd. Était-ce le signe qu'entre eux l'amour devenait plus fort, plus exigeant ? Ou, au contraire la preuve qu'il n'était plus capable de sécréter le baume qui calme et cicatrise immédiatement ? Parfois elle pensait que c'était la première raison, parfois que c'était la seconde.

En attendant, ce qui l'emportait, c'était le sentiment enivrant du bonheur. « Il était impossible, se disait-elle, d'imaginer à quel point ils pouvaient être heureux. » Lorsque, apaisés, assouvis, ils se tenaient l'un contre l'autre dans la douce fin de l'après-midi, lèvre contre lèvre, front contre front, ainsi que dans les représentations médiévales des couples d'amants, le temps passait insensiblement sans leur retirer rien. Ils étaient sans force. Pierre avait apporté un peu de travail à faire ou un livre dont il voulait lui montrer un passage, lui lire quelque chose. Mais ils ne l'avaient pas ouvert. Ils restaient là, immobiles, les yeux clos. Quel mal pouvait les atteindre, lorsque Laure avait refermé ses bras sur lui et qu'il avait refermé ses bras sur elle ?

Dans les journaux il y avait des morts, des accidents de voiture, des guerres, des catastrophes ferroviaires ; toutes sortes d'événements survenaient, mais entre eux il n'y avait d'autres événements que ceux que leur dictait l'amour. Elle avait oublié la douleur des petites séparations, les tourments, la crainte d'un refroidissement, les mauvais augures : elle était emportée. Plus tard, beaucoup plus tard, elle ne trouva pas toujours du plaisir à se remémorer cette époque, où presque rien n'avait encore compromis l'illusion : au contraire, elle mit une certaine complaisance à se moquer d'elle-même, de sa capacité d'aveuglement. Elle ne trouva plus de satisfaction qu'à détruire ainsi jusqu'à la beauté de ses souvenirs. Il n'y avait plus de douceur pour elle que dans l'acharnement à se prouver qu'elle avait été dupe.

13

Ainsi le temps passait, et d'autres signes se multipliaient qui vinrent l'inquiéter : et déjà un curieux renversement menaçait de se faire jour et de convertir en douleur les instants les plus heureux du début de leur entente. Comme par exemple ces moments délicieux des ententes illicites, l'un de ceux auxquels les amants clandestins attachent le plus de prix : lorsque Pierre parvenait à "s'échapper". C'est avec une joie extrême que, tout un printemps (le premier, un an environ après le début de leurs relations) et aussi (quoique déjà dans une moindre mesure) tout l'automne de 1974, Laure accueillit Pierre chaque fois qu'il s'était "échappé", chaque fois qu'il avait pu passer en coup de vent, comme il disait, se conformant naturellement au lexique en vigueur dans leur situation. En Laure ne soufflait pas encore ce vent d'humeur soupçonneux et malintentionné qui lui dictait, avec une forte ironie, que celui qui "s'échappe" n'est pas vraiment libre, et que sa joie un peu essoufflée donne la preuve du peu de marge dont il dispose. Mais ils étaient alors, sans le savoir, dans leur âge d'or, période qui existe dans l'histoire de chaque individu comme dans celle de l'humanité, époque bénie qui ne se reproduit jamais plus. Laure s'en tenait donc (sagement, dira-t-on) à ceci : que Pierre eût trouvé le moyen de "s'échapper" prouvait tout simplement qu'il en avait eu le désir et donc celui de se rapprocher d'elle. C'était tout ce qu'elle demandait. Elle en venait même à concevoir un avenir où ces moments-là ne seraient pas une exception mais la règle : l'âge d'or, croyait-elle, était devant eux ; il fut rapidement derrière. Là encore, il en est dans l'histoire de l'individu comme dans celle de l'humanité (qu'elle profite donc de ce répit : le désenchantement viendra assez tôt). Quand l'ère du soupçon vint, elle balaya tout : jusque dans les moindres gestes de Pierre, elle sut (ou crut) déchiffrer la prudence ; dans son refus par exemple d'utiliser un savon trop parfumé, dans son retour précipité lorsqu'il avait oublié chez elle sa cravate. Par exemple : pourquoi se brossait-il si soigneusement les ongles, les dents, lorsqu'il la quittait ? L'âge des regrets avait insensiblement succédé à celui de l'espoir.

Donc Pierre s'était "échappé" : Laure acceptait toutes ses raisons, n'en demandait d'ailleurs aucune, saluait tous ses prétextes avec joie. C'était pour aller acheter des planches (afin de terminer une bibliothèque, un placard) ou de la peinture. Elle entrait de même dans tous les arguments complémentaires sur lesquels il comptait pour atténuer l'effet d'une confidence, d'un récit. « Bricoler, moi ! disait-il, qui ne sais même pas planter un clou ! » Elle riait. Peu importait la raison, il était là ; et elle le serrait contre elle, respirant l'odeur de sa peau. Il était là, il avait frappé à la porte, n'osant pas encore utiliser les clefs qu'elle lui avait données. Du reste, il avait déjà prévenu par téléphone ; elle ouvrait aussitôt, la lumière était encore allumée dans sa chambre, il était un peu moins de neuf heures. « Bricorama ouvre à dix heures, disait-il, le dimanche matin. » Et il se serrait contre elle, froissant son vêtement de nuit : « Veux-tu un peu de café ? » disait-elle. « Non, oui, disait-il, tout à l'heure. Tout de suite, c'est toi que je veux. » Elle regardait son visage, empli d'un bonheur d'enfant, et cette expression soulagée qu'il avait lorsque se conciliaient magiquement son amour pour Laure et un changement dans l'emploi du temps de sa famille (une sortie remise à cause de la grippe d'un des enfants, une fatigue d'Annie).

Ils étaient ensemble, pour une heure, peut-être davantage : ils oubliaient tout. Pierre jetait ses vêtements au hasard, se coulait dans le lit encore chaud, fermait les yeux. « Viens, disait-il, viens vite. » « Je veux te montrer quelque chose », disait Laure. « Plus tard, disait Pierre, viens, viens vite. » Après, ils revenaient dans la grande pièce, le visage rouge encore, émus, les membres las, la peau irritée, ayant sur eux la même odeur, et la même fatigue autour des yeux, rhabillés à demi, elle de la chemise de Pierre, lui du peignoir de Laure qui ne cachait pas ses jambes musclées. Ils s'asseyaient un moment, essoufflés, heureux, autour de la table ronde, à demi enlacés encore, pour boire du café, tout en surveillant l'heure. « Pas trop, disait Pierre, si je bois trop de café, ensuite

136

je ne dors pas. » Et Laure essayait d'écarter de son esprit l'image des insomnies de Pierre.

Ils étaient las, et ils se reposaient : leurs esprits erraient vaguement au milieu des impressions que leur suggéraient ce dimanche calme, les bruits atténués, un chant d'oiseau sous la fenêtre, la sonnerie des cloches d'une église — vastes étendues de campagne, rivières vertes, arbres remués par le vent. Pierre rompait le silence : « Un placard, tu te rends compte ? Il n'y a pas un seul placard dans la maison. » Laure n'avait pas entendu. La lumière du printemps entrait à flots avec le bourdon de la cathédrale. Puis Pierre se levait : « Il faut que je me dépêche de passer avant la fermeture, disait-il. J'ai besoin de grillage de clôture pour le jardin. » « Le jardin ? » « Oh, il est tout petit, mais j'aime bien y traîner le soir. » Y traîner le soir ? Laure fermait un instant les yeux, elle les rouvrait, c'était passé. Sans bien en comprendre la raison, mais devinant à quelques signes (comme font les enfants sensibles et les chiens) que quelque chose l'avait assombrie, Pierre devenait soucieux et tendre — sans doute avait-il fait une faute, mais il ne savait pas laquelle —, ou bien il avait dit quelque chose qu'il n'aurait pas dû dire ? Il redoutait de s'aventurer dans le sombre labyrinthe où il la voyait perdue. « Mon amour », disait-il en fermant les yeux et en la serrant fortement contre lui. Sa voix, grave de nature, baissait encore d'un demi-ton. Il lui caressait les épaules, les hanches. « Rends-moi ma chemise, il faut que je me rhabille. » Elle retirait la chemise. « Je pense à toi tout le temps », ajoutait-il, et elle se calmait. Oui, tout ce temps-là (Pierre devinait, cela ne durerait pas et il ne lui suffirait pas toujours pour la réconforter d'une réponse douce et

137

d'une caresse malhabile) les choses lui furent faciles : elle levait les yeux vers le visage de Pierre où une barbe courte, un peu rousse, avait recommencé à pousser, irritant sa peau autour des yeux, aux tempes. « Tu piques », disait-elle. « Déjà ? » Pierre avait disparu dans la salle de bains. Laure rassérénée rangeait la chambre. Ce qu'ils avaient eu, et dont elle sentait encore en elle, sur sa peau, la chaleur, n'était-ce pas le plus important ? Ce qui les séparait n'était-il pas de peu de poids au regard de ces liens puissants, quoique secrets ? Avant de se quitter ils s'asseyaient de nouveau un instant côte à côte, tendant l'un vers l'autre leur visage et leurs lèvres sans forces. Ils ne pouvaient séparer leurs mains, ils auraient voulu ne pas cesser d'être, indéfiniment, chacun, comme le prolongement doux, rose, affaibli, de la chair de l'autre.

Puis, quand la porte s'était refermée sur lui, Laure s'interrogeait longuement : un grand dimanche l'attendait, bientôt elle se demanda si elle n'aurait pas préféré (dans le fond, tout au fond) que Pierre ne fût pas venu. Elle retournait s'allonger un moment, feuilletait le livre ou les magazines que Pierre lui avait apportés. Parfois elle se rendormait. Elle songeait alors, en se réveillant, aux confidences qu'il lui avait faites : « Je vais ranger la maison un peu autrement, disait-il, j'aurai une pièce à moi. » Cette phrase lui revenait, que fallait-il entendre par là ? Qu'il voulait se ''mettre à quelque chose enfin'', ''travailler''. Elle acceptait cela sans lui poser de questions. Pour le reste, il se montrait si proche, si attentif : il s'intéressait à tout ce qui la concernait, l'aidait à remplir sa déclaration de revenus (faisant profiter Laure à son insu des connaissances financières d'Annie), redressait une étagère, parla de repeindre la cuisine, mais ne le fit pas. Il devenait plus libre, approchait des zones dangereuses, ne s'occupait plus trop de respecter des frontières — c'était déjà bien assez de devoir s'y plier sans faille chez lui. Il risquait des allusions à quelques promenades en forêt ; citait une phrase de la petite ; une curiosité du garçon. Sans doute pensait-il que Laure les accepterait comme une preuve de la confiance qu'il avait en elle, et aussi comme le signe que rien d'important ne se passait dans la vie qu'il menait loin d'elle, rien qui dût être caché. Laure accepta ce raisonnement : elle en éprouva même de la gratitude pour lui. Cependant, elle eut un mouvement de recul lorsqu'un jour de janvier, il lui offrit un agenda relié de la banque, en beau cuir vert marqué d'un monogramme. Cela, c'était trop. Elle ne dit rien, le posa sur la table, le retourna deux fois, caressa du plat de la main le cuir doux. Soudain l'indignation la suffoqua. Il était quatre heures ; elle courut s'enfermer dans la cuisine. Là, une fois qu'elle eut refermé la porte sur elle, elle sentit croître encore sa colère. Elle allait et venait, soulevait la bouilloire, fouettée d'une douleur si vive, si oppressante qu'elle sentait la respiration lui manquer. Ses joues étaient rouges, ses mains glacées. Elle cherchait des mots, et n'en trouvait pas sauf celui-ci, qui pourtant ne lui était pas familier mais qui, pour l'heure, la comblait : « Goujat, répétait-elle, oh, quel goujat ! »

Voyant qu'elle ne reparaissait pas, Pierre se sentit inquiet à son tour ; il allait et venait, soulevant le rideau, cherchant à comprendre, surveillant la rue comme s'il avait pu en venir quelque chose qui les aurait sauvés tous deux. Il ne cherchait même pas à savoir exactement ce qui avait pu motiver sa colère : d'elle, il était sûr, de lui-même aussi. Il fallait d'abord la calmer : comprendre ensuite, mais ce n'était pas le plus important. D'abord, parce qu'il n'aimait pas la voir souffrir, et parce qu'il en éprouvait du remords même s'il n'en percevait pas la cause. Il se retourna, le cœur battant, lorsqu'elle sortit enfin de la cuisine. « Quelle brute je fais », dit-il, ce qui ne voulait rien dire. Il n'avait qu'à moitié deviné, ne s'engageait pas ; probablement, c'était cette affaire d'agenda, peut-être aurait-elle préféré un cadeau véritable ? Laure reçut cette phrase comme l'aveu merveilleux, inattendu, d'une culpabilité qu'elle voulait qu'il reconnût, sans souhaiter tout de même qu'il en fût écrasé. Elle sentit qu'il était de son devoir de tout pardonner.

Plus tard, en repensant à cette scène, elle ne manqua pas de se juger sévèrement et de condamner son "aveuglement" et sa propre "faiblesse" (elle usait volontiers à son propre endroit de ces mots trop grands). Elle en ressentit même un peu de dégoût pour Pierre, qui n'était pas capable de marquer assez nettement la frontière entre sa vie d'homme marié et celle qu'il partageait avec Laure — c'était comme s'il était venu chez elle tout imprégné d'une atmosphère étrangère (c'était d'ailleurs à prendre au sens propre : elle éprouvait une grande répulsion lorsque, sur la veste de Pierre, elle pouvait sentir des odeurs de cuisine. Il secouait les épaules : « Il faut bien que je mange quelque chose », disait-il).

« Quelle brute je fais », répétait Pierre, la tête posée sur l'épaule de Laure, la bouche dans son cou.

140

Et c'était elle maintenant qui devait le consoler, passer une main apaisante sur sa nuque et les poils raides qui avaient repoussé après le passage de la tondeuse. Ce geste la calmait elle-même, et elle se reposait, appuyée contre son amant tellement soulagé de voir s'éloigner le chagrin et les larmes de Laure qu'il en aurait bien pleuré à son tour, saisi par cette douleur qu'il avait fait naître, une douleur d'enfant, aussi vive à éclore qu'à se calmer. Sans ouvrir les yeux, il redressa la tête et promena ses lèvres au hasard sur la joue de Laure. La main de celle-ci était redescendue le long des flancs de Pierre, jusqu'à sa taille où elle se reposa. Pendant ce temps, par de petits mouvements brefs et insensibles et de petits glissements calculés (tout à fait en dehors de leur conscience claire), leurs corps avaient repris l'initiative et achevaient tout seuls de ressouder l'union que leurs âmes avaient provisoirement rompue. Et c'était déjà un repos et une consolation de sentir contre sa hanche la hanche de l'autre et de s'abandonner contre elle. Les lèvres de Pierre ayant atteint les siennes, Laure ouvrit la bouche et Pierre mordilla doucement sa lèvre inférieure. C'était un de leurs jeux favoris et Laure en le reconnaissant sourit sans faire un mouvement. Ils étaient si las qu'ils s'immobilisèrent un instant dans cette pose tendre. Et puis, il était temps de partir, et Pierre finalement avait oublié de reprendre l'agenda litigieux, que Laure jeta au fond d'un tiroir. Lorsque, après quelques mois, elle le retrouva et le feuilleta, sa douleur était effacée. Elle en vint à regretter le temps où une douleur si vive pouvait naître de si peu.

La chose se reproduisit pourtant presque exactement un matin que Pierre, sans la prévenir, vint frapper vers huit heures ; il n'avait pas ses clefs. Elle ouvrit sans défiance, mal réveillée ; il avait les bras chargés de dahlias. Déjà, il était dans la cuisine, cherchant un vase, un pot, et faisait couler l'eau d'un jet puissant qui éclaboussait sa chemise. « Où as-tu mis le papier ? » dit Laure. « Elles viennent du jardin, dit-il, elles sont belles, non ? » Mais Laure n'avait pas envie de ces fleurs qui "venaient du jardin" : elle en porta une au visage, l'odeur lui en parut affreuse, comme celle d'un linge qui sèche dans une salle de bains. « Tu n'es pas contente que je sois venu ? » dit Pierre. « Si », dit Laure. Elle sentait autour d'elle une tristesse tenace, collante, dont elle aurait bien voulu se défaire. (Ce jour-là elle n'y parvint pas.) Elle voyait sans cesse une allée fraîche dans le soir ; des enfants qui jouaient ; la radio ; et une jeune femme assise sur le seuil. Ses larmes jaillirent. « Mon petit ! disait Pierre, mais qu'est-ce qu'il y a ? » Elle l'écoutait, puis s'écarta de lui. « C'est à cause des fleurs ? » dit-il (lui aussi, il faisait des progrès). « Je suis injuste, dit Laure. Pardonne-moi. » Mais elle ne le pensait pas vraiment. « Un peu, dit Pierre. Tu le sais bien, j'attache tellement peu d'importance à l'endroit où je vis. » Pouvait-on le croire ? Qu'est-ce qui avait inspiré cette phrase : une mélancolie véritable, la sincérité, le désir de la calmer ? Elle se baissa, ramassa les pétales tombés, arrangea les tiges dans le vase. Puis elle le porta devant la fenêtre. Quand Pierre l'appela quelques heures plus tard, elle se sentait beaucoup mieux.

14

Tout déchiré qu'il était par la douleur de Laure, crucifié par ses larmes, persuadé de devoir tout faire pour lui épargner de souffrir, Pierre devait aussi reconnaître qu'il était en proie à une résolution non moins exigeante, non moins ferme : il ne pouvait pas davantage accepter de faire souffrir Annie. Il était donc hors de question qu'il pût envisager de se séparer d'elle, de lui parler de Laure ou même de lui laisser deviner quelque chose. (On se sera demandé sans doute comment Pierre était parvenu à garder cette liaison secrète dans une ville qui n'avait pas cinquante mille habitants. La réponse est simple. Ce secret n'en était un ni pour les voisins de Laure (mais ils ne savaient pas qui était Pierre) ni pour la concierge de sa maison (qui le connaissait par son nom). Mais Pierre habitait à l'autre bout de la ville : Annie était à son bureau huit heures par jour. Cela ne suffit pas à tout expliquer : ajoutons-y que par nature Annie n'était portée en aucune manière au soupçon. Ce n'était pas une forme de confiance particulière en Pierre. Pour elle, ces choses-là n'existaient tout simplement pas.

Quant aux collègues de Pierre, c'était tout le contraire : mais ils avaient si peu d'occasions de transmettre leurs hypothèses à la femme de Pierre, que le risque était tout à fait minime. Il leur arrivait (aux hommes) de faire allusion, en rencontrant Pierre sur les marches de la bibliothèque, à la ''petite'' qui ''n'était pas mal'' : c'était en général de Ghislaine qu'ils parlaient. Il n'y avait de franchement hostile que Mme Feider, le professeur d'anglais, qui l'avait vu avec l'infirmière et disait de lui : « Je n'aime pas sa tête. C'est un type à avoir des histoires. » « Quelles histoires ? » disait son mari, paisible. « Des histoires de femmes, tiens. » Mais c'était tout. Les autres femmes, parmi ses collègues, l'aimaient bien : Mme Rougier, surtout, le professeur de lettres, qui, ayant appris son voyage à Florence, le pressait de communier avec lui dans l'amour de l'Italie.)

''Se séparer'' d'Annie, s'il en était incapable, ce n'était du reste pas seulement pour elle. C'était aussi, il dut se l'avouer, pour lui. Dans le sentiment qui l'unissait à Annie (si fortement qu'il se fût modifié avec le temps et le choc de son amour pour Laure) il y avait le tout qu'ils composaient ensemble — Annie et les enfants, et derrière eux sa famille, les beaux-parents, la maison des vacances, les meubles et les projets ; les habitudes ; tout cela qui formait un tissu tellement serré qu'il ne voyait pas comment il pourrait s'en dégager et trouver une forme de lui-

144

même capable de vivre une vie indépendante. Son amour pour Annie ? Il fallait aussi compter avec l'amour qu'Annie et ses enfants et ses beaux-parents et même son chien avaient pour Pierre. Pris séparément, chacun de ces éléments pouvait être quitté : après tout, il pouvait vivre avec une autre femme ; après tout, il pouvait accepter de ne voir ses enfants que le dimanche ou aux vacances — encore plus facilement changer de maison ou de ville. Mais, d'une manière qu'il ne parvenait pas à démêler, ces éléments étaient conjugués entre eux inextricablement, sa vie avait poussé au milieu d'eux, entremêlant avec eux ses rameaux de telle sorte qu'il ne pouvait plus envisager de l'en arracher. Que serait sa vie sans la fatigue d'Annie ? Sans ses brusques résolutions du dimanche matin ? Sans les vélos des enfants dans l'entrée et leurs vieilles chaussures de tennis dans les placards ? Sans les comptes en banque conjoints, les cartes de visite communes ?

Lorsqu'il avait rencontré Annie, il n'avait pas beaucoup plus de vingt ans ; il était un jeune homme instruit mais sans éducation, sans pratique du monde : il ne connaissait pas d'autre milieu que le sien (sinon le milieu étudiant, qui n'en est pas un), il n'avait pas voyagé. Ils décidèrent très vite qu'ils se marieraient. A quarante ans, elle serait fondé de pouvoir dans sa banque, Pierre professeur dans la classe préparatoire d'un lycée de province ou, qui sait ?, à l'Université. Une fois encore, Pierre accepta tout, y compris les projets qu'on faisait pour lui, sans avoir le sentiment de s'engager vraiment ; comme de biais ; et ils s'étaient fixé ensemble, à vingt ans, comme but commun, la découverte conjointe de l'amour physique dans tout l'enthousiasme de leurs jeunes corps maladroits, sans tourment, avec une nécessité, une légitimité sans ombres, qui n'était pas seulement celle du mariage. Le moment de l'amour était venu : ils s'y consacrèrent. Annie s'y adonna avec sérieux et décision, avec la détermination redoutable des jeunes femmes qui se transforme avec le temps (et même lorsque le corps n'y joue plus qu'un modeste rôle) en un attachement à toute épreuve. Ils n'étaient ignorants ni l'un ni l'autre, mais absolument sans expérience. Ils voulurent donc aussi s'instruire et lurent des livres qui leur découvraient progressivement les possibilités mutuelles de leurs corps. La question des enfants se posa d'emblée : non qu'elle fût la raison pour laquelle ils avaient voulu se marier (bien que la convention héritée les y eût poussés autant que leur amour, si violent fût-il). Mais enfin elle était là ; c'était la fin, différée peut-être du mariage, sa justification dernière et comme sa consécration (si dépourvus qu'ils eussent été de sentiments religieux). On pouvait la tenir à l'écart un certain temps (tous d'ailleurs s'accordaient à leur en reconnaître le droit). Et si dans un premier temps la pratique de la contraception parvint à dissocier leur jeune érotisme de ses conséquences, ils étaient déterminés à ce que ce temps ne dure pas toujours. Finalement, au fond d'eux, une persuasion commune et tacite s'était établie : et la naissance future des enfants ôtait déjà définitivement à l'amour et au désir leur culpabilité.

Dans le partage inconscient qui s'était fait entre eux, Pierre avait reçu la part de la fantaisie et de l'irresponsabilité, parce qu'il était homme et qu'il lui revenait de transgresser les règles du couple (y compris celles qu'il avait contribué à poser), aussi parce qu'étant encore étudiant, il était vraiment le plus jeune des deux et que, promis au métier de professeur, il le serait toujours aux yeux d'Annie et de sa famille. Mais cette part lui revenait surtout dans les formes de transgression sexuelle (modestes) qu'il avait toujours la charge de réaliser : par exemple, en entraînant Annie à faire l'amour l'après-midi, ou même sans se mettre au lit (mais non sans se prémunir de quelques précautions prophylactiques). Annie se chargeait ensuite de remettre leur couple dans la voie de la raison — et Pierre acceptait aussi toutes les tâches ennuyeuses comme la déclaration des revenus ou la réparation d'une fuite d'eau. Cependant, pour l'essentiel, ils partagèrent tout, d'emblée l'argent (au début Pierre n'en gagnait guère, sauf par quelques leçons particulières), les soins du ménage (en commun, la vaisselle et même le lit, que Pierre sut toujours mieux faire qu'Annie). La contraception aussi avait été leur affaire commune — bien qu'elle s'exerçât nécessairement sur Annie et dans le corps de celle-ci. Mais il se soumettait de bonne grâce à ce que celui-ci imposait, petits malaises, douleurs diffuses, difficultés de tout genre (par exemple lorsqu'elle rejeta le diaphragme ou ne put supporter le gel préservatif). C'était comme s'ils n'avaient eu qu'un corps pour deux : ils parlaient du reste du corps d'Annie comme d'un bien commun, lourde responsabilité confiée à tous les deux, délicate et fragile unité de production qu'ils avaient tous les deux la charge de faire fonctionner au mieux de leurs intérêts et de leurs plaisirs. Leur corps à chacun appartenait à l'autre, qui avait le droit de l'utiliser mais aussi le devoir de l'entretenir, de le gérer, de tenir compte de ses faiblesses. Dans cette machine à deux,

147

la part qui était dévolue au corps d'Annie était évidemment la plus lourde, et elle en tirait une fierté naturelle. C'était cela exactement qu'elle attendait de la vie : d'être considérée dans toute la puissance redoutable des organes féminins, mais non pas d'y être limitée. Pierre compléta naturellement avec d'autres femmes les connaissances de base qu'il avait acquises avec Annie ; mais les découvertes qu'il fit n'entamèrent jamais sa conviction que le corps de la femme est infiniment plus complexe, et d'un maniement plus délicat que celui de l'homme. Ils avaient vécu un an à L. avant d'être mariés ; ils se marièrent. Puis Pierre fut nommé à R. et Bruno naquit. L'amour, la vie physique, l'érotisme, puis la naissance de l'enfant s'étaient inscrits sans effort dans le découpage social et professionnel de leur existence. Le mariage n'avait fait qu'ajouter une légitimité de plus, et des commodités financières. Ils purent faire des emprunts, combiner des primes.

Cette éducation mutuelle qui les avait fait franchir ensemble la dernière étape avant la vie d'adulte les lia définitivement. Il y eut ainsi entre eux de la camaraderie, une complicité d'étudiants, qu'on garde toujours envers ceux qui ont fait en même temps que vous le même apprentissage. Leur vie manqua ainsi un peu d'imprévu : mais elle les fortifia l'un et l'autre et dans l'idée qu'ils avaient d'eux-mêmes et dans celle qu'ils avaient de l'autre. Pierre apprit à se discipliner, à faire passer avant les siennes (toujours plus brutales, lui semblait-il, mais on pouvait apprendre à les contrôler) les exigences du corps de l'autre. Il se vit ainsi, sous le jour où il avait toujours imaginé les hommes : moins fin que les femmes, plus brutal, plus exigeant, mais capable d'apprendre, d'être

apprivoisé. De son côté, Annie sentit naître progressivement en elle une satisfaction proprement fémi-
nine : celle d'avoir su arrimer sa vie à une autre vie,
et fixer leurs deux vies autour d'axes solides, quoique relativement mouvants (à ses yeux), comme on
attache un bateau à une bouée flottante. Ainsi, ils
pourraient affronter des changements mineurs (une
amélioration de leur situation, un déménagement, la
naissance de plusieurs enfants) sans avoir à remettre
en question la nature même de leur union. Une union
qui ne pouvait, au sentiment d'Annie, que s'enrichir
avec le temps, puisqu'elle était conçue sur le mode
de "la construction commune". Pendant longtemps
— en fait jusqu'à ce qu'il rencontre Laure — Pierre
pensa de même.

Pierre avait passé le CAPES, échoué à l'agrégation, Annie progressait rapidement à la banque ;
Pierre hésitait à se représenter. Il s'était inscrit une
nouvelle fois à l'Université et travaillait par correspondance. Leur emploi du temps était régulier, mais
Pierre sut organiser les détails d'une vie facile. Ils
se levaient à sept heures : Annie préparait leur petit
déjeuner pendant que Pierre donnait son biberon à
l'enfant. Ils avaient l'un pour l'autre, tout ce temps,
des attentions gentilles, qui gardaient le souvenir de
la nuit, n'omettaient jamais au passage de caresser
délicatement la partie du corps de l'autre à leur portée tout en baisant les grosses joues de l'enfant. A
dix heures, deux matins sur trois, Pierre se retrouvait seul, les autres jours il partait faire ses cours.
Mais il déjeunait toujours à la maison, et tous les
jours sauf le vendredi s'installait vers deux heures
à sa table, bourrait sa pipe et se mettait aux textes
du programme. Annie passait reprendre l'enfant chez

149

la nourrice à cinq heures. Lorsqu'elle rentrait, Pierre était encore en train de travailler avec un de ses jeunes collègues, "agrégatif" comme lui : ils buvaient ensemble un verre de vin puis il mettait à réchauffer dans une casserole le contenu d'une boîte de raviolis. Cette période du reste ne dura pas ; lorsque l'enfant fut plus grand, ils devinrent définitivement adeptes d'une nourriture saine, préparée à la maison, riche en légumes verts et en yaourts (Annie disait "yoghourt", comme sa mère) ce qui simplifiait les achats et la cuisine, puisque c'était ce qui convenait aussi aux enfants.

Ce temps dura dix ans : au bout de ces années, Pierre et Annie étaient des adultes véritables, qui avaient dépassé la trentaine, toute trace d'enfance avait disparu en eux. Chacun des deux s'était si bien forgé au contact de l'autre, qu'ils auraient pu se séparer, vivre un an à distance, cesser de se parler, que rien n'aurait changé. Ils avaient sans le savoir accompli pleinement la parole de l'Évangile : ils étaient un en deux corps. Lorsque Pierre était seul (et ce temps aussi devait arriver, seul avec une autre femme) il ressentait jusqu'au vertige la présence d'Annie. Même lorsqu'à ses yeux il accomplissait le comble de la trahison, en réalité il ne l'avait pas quittée. Cette fusion n'était pas seulement la conséquence psychologique d'une entente physique, affective, sentimentale : elle était une chose, un être qui s'était établi à côté d'eux, en plus d'eux et dont il fallait tenir compte. C'est la force de cette union qui rendit paradoxalement possible la rencontre que Pierre fit cette année-là d'une autre femme.

150

Pierre avait trente ans : leur fils en avait sept, la petite deux. Cette liaison acheva l'éducation de Pierre. Un vendredi de décembre à la récréation de onze heures, il avait accompagné à l'infirmerie un élève de quatrième, pris de vomissements. Il s'assit en attendant le retour de l'infirmière qui était allée à l'intendance. « C'est pour vous ? dit une voix. Vous vous faites accompagner par un élève ? Vous êtes pâle. » Il se leva. « Non, c'est pour lui. » « Entre là », dit la jeune femme au gamin. « Effectivement, dit Pierre qui l'avait suivie, tous les matins vers dix heures je me sens faible. » « Prenez du sucre, dit-elle, c'est un peu d'hypoglycémie. » La jeune femme avait versé des gouttes dans un verre qu'elle tendit à l'enfant. Elle allait et venait, rapide dans une blouse blanche assez courte d'où dépassaient deux belles jambes robustes et brunes, à la cheville fine. Une veine bleue battait au creux de son genou droit, Pierre se rappela ce détail.

Deux ou trois semaines plus tard, ils se retrouvèrent par hasard devant le lycée. Elle attendait l'autobus. Pierre s'avança vers elle. « J'ai ma voiture, dit-il, est-ce que je peux vous accompagner ? » Elle leva vers lui des yeux rouges, des lèvres gonflées, un nez aux ailes irritées. « Qu'est-ce que je tiens ! dit-elle, avec ces fichus gamins, ça ne rate jamais. » Ils se dirigèrent vers un quartier de la ville où Pierre venait rarement depuis le temps lointain des promenades à bicyclette. Puis ils quittèrent complètement la ville et elle lui montra au loin, dans le brouillard, une barre de bâtiments jaunes. « C'est ici, dit-elle. C'est gai, hein ? » Il la déposa sur le parking. « Je me dépêche, dit-elle. Mes bonshommes

151

sont sûrement déjà là. » Ils se serrèrent la main, et Pierre démarra sans regarder derrière lui.

Les jours suivants, il pensa deux ou trois fois à la barre de HLM. Il lui venait des pensées qu'il n'avait jamais eues. Par exemple, celle de monter l'escalier étroit, cimenté : il sonnerait, elle serait seule et lui ouvrirait la porte sur une entrée tendue de papier fleuri avec un baromètre au mur. Il ne dirait rien, ils iraient directement à sa chambre ; il lui retirerait sa blouse blanche (comme un adolescent, il ne pouvait l'imaginer que dans sa blouse d'infirmière), bientôt il aurait ses jambes autour de lui, il serait contre elle, en elle, il respirerait son odeur un peu forte, son odeur de sueur, elle ne devait pas s'épiler les aisselles.

C'est exactement ainsi que les choses se passèrent. Une après-midi de la fin de février (il avait noté les jours de liberté de l'infirmière au tableau de service), il rangea sa voiture dans un des rectangles dessinés en blanc sur le macadam souillé du parking (« Je t'ai vu, dit-elle plus tard, tu avais l'air plutôt godiche au milieu des vélomoteurs »). Dans l'entrée bruyante et mal éclairée, des enfants le croisèrent en riant ; il chercha un nom sur les boîtes aux lettres. Il flottait une odeur vague et désagréable dans tout l'escalier. Il sonna ; elle vint ouvrir, elle n'avait pas l'air surpris. Tout était pareil — même le baromètre au mur, mais elle n'avait pas sa blouse blanche. Elle lui sourit sans rien dire, l'air un peu sournois. « Reviens quand tu veux, dit-elle en le raccompagnant, mon gosse ne revient qu'à sept heures, mon mari passe le prendre en rentrant. » Pierre rentra chez lui épuisé, heureux : elle était brune, forte et musclée comme il l'avait imaginée. Entre ses jambes, la

152

toison était épaisse, comme sous ses bras. Vers la fin, elle s'était dressée dans le lit, les bras tendus, soulevant ses seins lourds. « Ça fait du bien, n'est-ce pas ? » Et : « Je t'avais vu, tout à l'heure, dans le parking. »

Elle s'appelait Elisabeth, mais elle voulait qu'il l'appelle Babeth, comme tout le monde. Elle ne demandait rien, ne posait pas de question, souriait, et tout de suite il l'avait contre lui, et dans sa bouche, il sentait sa langue, une langue charnue, fraîche, souple, mobile. Elle salivait beaucoup, ce qui achevait de mettre Pierre au comble de l'excitation. Son mari était contrôleur à la SNCF, elle était mariée depuis dix ans. « Comme moi », dit Pierre. Ce fut la seule allusion qu'ils firent à leurs mariages. Elle avait dû subir une « opération » après la naissance de son fils et savait qu'elle ne pourrait plus avoir d'enfant. « Approche, viens », disait Pierre et il penchait de nouveau son visage vers son sein à l'aréole presque noire. Ils se rencontrèrent une fois à Carrefour, comme ils faisaient les courses l'un et l'autre en famille. Elle vint lui tendre la main et lui présenter son mari sans marquer de gêne. Il y avait un gros carton d'apéritifs sur leur chariot. « Qui est-ce ? » dit Annie, je n'ai pas bien entendu. Une collègue ? » « Non, dit Pierre, c'est l'infirmière du lycée. » « Ah, dit-elle. Elle a un type italien. » Pierre n'y avait pas pensé. Ce poil noir, ces cuisses assez courtes ? Pourtant il croyait se souvenir qu'elle était née près de Toulouse. Il oublia de le lui demander.

Ainsi se terminèrent les années d'apprentissage : Pierre avait connu deux sortes d'amour, et en un sens ç'aurait pu être largement suffisant. Toutes les autres rencontres qu'il était destiné à faire auraient pu se construire sur le modèle que celle de Babeth lui avait fait expérimenter : des aventures passionnées mais sans lendemain, un mélange satisfaisant de silence et de plaisir charnel. Le parcours pédagogique des débuts de son mariage avait été excellemment complété par une expérience presque inverse : avec elle il avait justement appris que tout ne s'apprend pas, que des rencontres imprévues sont toujours possibles ; qu'on peut s'entendre à demi-mot et surtout ne rien chercher à construire. En un sens cet imprévu-là avait quelque chose de tout à fait prévisible : pas aux yeux de Pierre qui s'était cru à l'abri des surprises physiques ou destiné, faute d'occasion, à ne pas en connaître souvent. Finalement Babeth ne lui laissa pas de grands souvenirs, ou plutôt rien de vraiment personnel : sauf l'image de son corps musqué, de son épaisse toison noire, de ses lèvres très rouges. Elle l'avait aimé disait-elle, parce qu'il avait l'air "dans la lune", et aussi parce qu'elle sentait qu'il "en avait besoin", "par hygiène", "comme tous les autres". Elle ne lisait jamais rien, n'avait pas voyagé, n'était jamais entrée dans un musée. Elle avait de l'existence une vision limitée et pessimiste, donc assez juste : elle se savait "condamnée" à un travail sans intérêt, à demeurer au sein d'un mariage borné. Ils firent ainsi "un bout de chemin ensemble", comme elle aimait aussi à dire. Et quand ces images revenaient à Pierre, c'était comme quelque chose de fort et d'à peine propre, comme ces nourritures exquises, étranges et mal définies qu'on a goûtées au cours d'un voyage, se félicitant de l'avoir fait, en même temps que d'avoir échappé à l'intoxication.

Il ne regretta vraiment que certains moments "physiques très forts", comme il aimait à le penser

— les draps en boule, pas toujours très nets, où il lui avait semblé lire une ou deux fois la trace du contrôleur ; le goût de Babeth de ne pas se laver tout de suite ; de toujours faire l'amour une seconde fois. Il y pensait toujours lorsqu'il voyait Annie quitter presque aussitôt leurs draps frais qu'ils ne salissaient jamais (Annie n'aimait pas cela) et se laver aussitôt à grand bruit dans la salle de bains. Mais l'idée de Babeth elle-même (elle quitta la ville quelques mois plus tard) ne le préoccupait pas. Il se rappela tout de même deux ou trois fois, cependant, la tristesse du parking et le bois verni du baromètre sur le mur de l'entrée.

15

Quand à la fin de 1972, quelques mois plus tard, Pierre fit la rencontre de Laure, ce fut en pleine innocence et en pleine sécurité : se sentant désormais prémuni contre les formes dangereuses et incontrôlables de l'amour, par l'idée qu'il s'était forgée d'être désormais l'homme de rencontres charnelles sans lendemain. De là vint qu'il ne se sentit pas "pressé" : ce qui s'offrait à lui était si nouveau, si inattendu qu'il était impossible de le ranger dans des catégories communes ; s'il l'avait voulu, il aurait eu tôt fait de nouer avec une autre les relations qu'il avait connues avec l'infirmière. En Laure donc tout le surprit, tout était nouveau : elle pouvait être aussi une amie pour lui (et il pensait, pourquoi pas ? une amie seulement), quelqu'un avec qui on parle, qu'on retrouve à une terrasse de café comme lorsqu'on est étudiant, à qui on prête des livres. Qu'elle dût devenir tôt ou tard une amante, c'était probable et en un sens inévitable. Mais justement, ce n'était pas pressé. Plus tard, son sérieux, sa méticulosité, son emballement, y compris dans les choses de l'amour (curieusement comparables à ceux d'Annie) l'enthousiasmèrent ; et une jeunesse qu'il n'avait pas imaginée. « Quand je te vois dans la rue, disait-il, quand je te regarde à ton bureau, je n'arrive pas à croire que tu es la même. » « La même que quoi ? » disait Laure. « Que celle-là, que je tiens dans mes bras en ce moment », disait-il. Et il se penchait sur elle pour baiser son visage ou son sein. Les cheveux de Laure sagement divisés par une raie ; ses jupes écossaises ; ses petits talons ; sa démarche mesurée et ceci : lui en elle, elle sur lui, échevelée, rouge, les dents serrées ; et cette façon qu'elle avait de refermer sur lui les cuisses en étau, ses cuisses lisses, blanches où perlait un peu de sueur, une sueur d'enfant, songeait-il, la sueur d'une petite fille qui a trop couru dans le jardin. Sa peau était fine, sa joue fragile rosissait sous le rude contact de la barbe rousse de Pierre qui la regardait, incrédule. En passant entre les rayonnages des livres ou rapportant à la table centrale un volume de l'Encyclopédie, Pierre jetait à la dérobée sur Laure un regard de fierté jalouse ; il regardait son visage, pensait aux lèvres de Laure sur son sexe et il avait peur de rougir. Ses yeux se voilaient, son cœur battait plus fort, de nouveau il voyait Laure, étendue et son sexe entrouvert, net et pur, d'une couleur violet passé.

Ce qu'il ne disait pas, c'est qu'il avait toujours aimé cette opposition, dans la vie des femmes, entre une apparence lisse et des failles secrètes ; elle lui

157

manquait même chez Babeth qui (pensait-il) "annonçait tout de suite la couleur", avec sa blouse trop courte, ses mollets ronds, ses yeux moqueurs. Au contraire, il trouva en Laure un exemple parfaitement accompli de ce mystère qui agit, dans le secret des alcôves, sur les femmes les plus réservées. Il avait aimé cela chez Annie, le contraste entre la belle allure décidée de sa femme (tailleur bordeaux, petites lunettes, ongles parfaits) et les images de leur intimité : Annie se rendormant le dimanche matin après avoir enfilé à l'envers la chemise de nuit qu'il lui avait retirée quelque moment plus tôt ; Annie dans la salle à manger, tenant dans ses bras la petite en peignoir de bain taché de chocolat et laissant voir ses jambes brunes qui avaient besoin d'être épilées, ou riant fort avec sa fille (« Dis donc, ma cocotte, on n'aurait pas fait un petit pet, par hasard ? »), Annie dans la chambre d'en haut, chez ses beaux-parents ; Annie renversée, les yeux fermés, les jambes largement ouvertes et lui, penché sur elle, n'en finissant pas de glisser sa langue, ses lèvres dans la douceur humide des lèvres secrètes. Sans doute était-il possible d'en dire autant de toutes les femmes, de ses collègues, des collègues d'Annie, de la sévère receveuse des Postes ; et de même des hommes. Mais les hommes semblaient à Pierre faits tout d'une pièce, naïfs, transparents, sans mystère : et la façon qu'ils avaient de se livrer à l'amour, outre qu'elle ne l'intéressait pas beaucoup, lui paraissait tellement brutale et, pour tout dire, sommaire, qu'il s'émerveillait que les femmes puissent s'en accommoder. Mais avec Laure, ce fut autre chose (tout était différent avec Laure) : le souffle lui manquait, quand il pensait que c'était à cause de lui, pour lui, que Laure perdait tout contrôle et son aspect de jeune fille sans histoires. Il se sentait brûler de désir et de fierté, rajeuni et en même temps lavé, par la violence de cet amour et de cette découverte.

Laure l'émerveilla. Comme elle ne répondait à aucune des figures qu'il avait tôt dessinées, il se dit qu'elle était d'une nature plus riche, plus mystérieuse, plus complexe. Il imagina (puisque Laure parlait peu) que toutes ses attitudes, ses comportements, ses refus étaient l'effet d'une volonté mûrement réfléchie, libre, supérieure. Il éprouvait donc, devant elle, un peu de honte ; et aussi de l'admiration. Mais Pierre était toujours prêt à admirer les femmes.

Il y avait autre chose : qu'une femme pût durablement s'attacher à un homme qui "n'était pas libre" lui avait toujours paru relever d'un de ces accommodements silencieux ou de ces "cotes mal taillées" auxquelles les femmes se prêtent quelque temps, lorsqu'elles sont très jeunes, ou lorsqu'elles ont vieilli, et sont contraintes d'accepter cette "dernière chance", même sous une forme déchue. Il n'était pas certain que Pierre n'eût pas même un peu de mépris pour ces femmes-là. Mais que Laure, telle qu'elle était, ait pu se lier à lui, sans être sûre de rien, sans qu'il eût rien promis (il eût été bien embarrassé de savoir quoi promettre) lui semblait un miracle. Il se surprenait du reste lui-même, ayant toujours pensé que seuls les libertins (au rang desquels il ne se comptait pas) aiment à entretenir en dehors de leur mariage de multiples relations secrètes, dont certaines très durables. Il ne se sentait pas non plus si malheureux qu'on dit que sont les autres, ceux qui ne sont pas des libertins.

Pierre et Laure correspondaient en fait si peu

159

l'un et l'autre à l'idée que l'un et l'autre se faisaient des partenaires obligés de leur situation, qu'ils se regardaient avec une douceur étonnée, un ravissement, une satisfaction véritables (et après tout peut-être justifiée) : à eux, rien n'arriverait que des "choses propres" ; à eux seuls seraient épargnés les mesquineries, les tracas, les difficultés des amours adultères. Il ne leur en resterait que la joie : et la douleur aussi, naturellement, qui est noble.

Pierre en profita pleinement pendant deux ans : un peu plus même. Chacun eut même le sentiment qu'il se modifiait durablement et profondément sous l'influence de son partenaire : il est vrai que leurs défauts les plus criants disparurent ou du moins s'atténuèrent : chez Laure, la froideur, la susceptibilité, les dégoûts, chez Pierre, sa lenteur, sa vision pesante des choses, son didactisme. Ils s'aimèrent, et connurent la sagesse de l'expérience, le plaisir de la violer, et aussi ce que chacun avait cru indigne de soi et de l'autre, la colère, la violence, la jalousie, la vindicte et, s'agissant de Pierre, les joies torturantes de la clandestinité. Leur entente balaya tout, purifiait tout, dégageait le ciel encombré de nuages par de grands coups de vent vif. Leur seul ennemi demeura le qu'en dira-t-on : ils cessèrent de se donner des rendez-vous dehors. La perfection de leur entente fut telle qu'elle s'arrêta, comme d'elle-même, au seuil de leurs obligations : la vie professionnelle pour tous les deux, la vie familiale pour Pierre, le rythme même du temps n'en fut pas affecté. Mais lorsqu'ils étaient ensemble, ils n'y pensaient même pas ; c'était comme si tous les obstacles avaient magnifiquement fondu, et que de cette fusion fût né un amour parfait, inégalable. Que pesaient les

160

obstacles devant cet incomparable accord? Un amour vraiment pur, puisqu'il ne tenait sa force que de sa puissance interne et non de celle des obligations, des contrats, des contraintes; mieux encore, puisqu'il semblait tirer toute sa force de sa capacité de résister victorieusement aux obstacles, aux contrats, aux contraintes. Dans la première partie de sa vie amoureuse, Pierre avait cru avec Annie que l'amour était quelque chose qui accumule, entasse, bâtit, construit : avec Laure, il découvrait une gratuité sublime. Pour Laure, évidemment, c'était une chose plus difficile à admettre : et si Pierre lui avait confié cette découverte, elle aurait pensé que c'était "bien commode pour lui" et qu'il est facile en effet d'exalter un amour "sans engagements", "sans contrat" lorsque de toute façon n'importe quelle sorte d'engagement ou de contrat est de fait impossible. Pourtant, qui sait? Pierre, avec Laure, s'était peut-être approché plus qu'elle de la vérité de l'amour.

Car pour Pierre l'amour était là intégralement, sans reste, sans regret, sans nostalgie, dans la petite chambre de Laure, tandis qu'il déposait ses vêtements sur une chaise et la rejoignait vivement dans le lit. Ce qu'il avait découvert là et ne pouvait lui faire partager était d'une essence si neuve et si brillante qu'elle l'aveuglait. En un sens, les obstacles surmontés se recomposaient vite : comme dans les films projetés à l'envers, le mur abattu se redresse et resurgit de la poussière résorbée. Mais il ne mentait pas (contrairement à ce que Laure fut tentée plus tard de penser) lorsqu'il lui affirmait, un peu contradictoirement, et le peu d'importance qu'il attachait à la vie quotidienne (soirées familiales, promenades du dimanche matin) et le soulagement qu'il éprouvait d'en être avec elle débarrassé. Mais justement parce qu'elle en était privée, Laure croyait qu'il était nécessaire que l'amour s'incarne dans des choses concrètes. Et elle avait raison, en même temps, lorsqu'elle sentait, en Pierre comme autour de lui, les mille liens invisibles qui, quoi qu'il en dît, entremêlaient étroitement tout son être avec sa vie familiale. En un sens, et à cause de cela, si l'amour de Laure pouvait être pour Pierre de l'ordre de la révélation, l'amour de Pierre ne pouvait jouer pour Laure le même rôle. L'admirable gratuité de cette passion, sa nudité étaient pour Pierre confondantes dans leur nouveauté ; pour Laure, puisque sans espoir de modification, elles étaient toujours le signe et la conséquence d'une situation qu'elle n'avait pas choisie, qui se maintenait malgré elle : la conséquence du fait que Pierre n'était pas libre. Il n'était pas sûr que Laure eût voulu nécessairement avec Pierre "construire quelque chose" : cela lui était peut-être étranger ; mais il n'aurait pas fallu que le contraire lui fût imposé.

Ils s'étaient ainsi engagés sur des chemins parallèles, et il était certain que, dans ces conditions, rien ne changerait jamais. Car, outre que Pierre aurait été incapable de se passer (quoi qu'il en dît) des liens que sa famille et lui-même avaient tissés, l'émerveillement d'être avec Laure si "libre" lui interdisait d'envisager toute autre solution : à quoi bon perdre, en vivant avec Laure, ce que lui apportait, justement, leur séparation ? Pendant ce temps, Laure avait bien d'autres soucis ; il lui fallait mettre au point un système de règles de la "vie séparée", puisqu'il était hors de question qu'ils en connussent jamais une

162

autre. Pour Laure, les choses se présentaient de la manière suivante : il fallait d'une part accepter d'être séparés (et donc ruser avec les douleurs inévitables) mais aussi s'accommoder d'un emploi du temps dont elle n'aurait jamais la maîtrise, et enfin, si l'on voulait vraiment connaître un bonheur véritable et non de simples consolations, se soumettre à cette loi si volontairement, que par un retournement pervers on pourrait croire qu'on l'avait voulue. Mais il fallait d'abord prendre acte de ceci : quelle que fût la force de leurs liens, ils étaient tenus absolument à l'écart chacun de la vie de l'autre. Et Pierre à peine moins que Laure, même s'il venait chez elle ; puisque de ses soirées, de ses dimanches, de ses vacances il ne partageait rien, comme elle ne partageait jamais rien des vacances, des dimanches, des soirées de Pierre. La question de la place qu'il faut attacher à la vie quotidienne fut donc à jamais insoluble : naturellement leur situation les conduisait, Pierre à en minimiser le poids et la nécessité ; Laure à l'augmenter. Ce fut la source de discussions infinies : « Jamais, disait Laure, nous n'avons encore pris de petit déjeuner ensemble. » « Le petit déjeuner ! disait Pierre avec une exaspération qui n'était pas feinte. Mais si tu me voyais ! Mal rasé, de mauvaise humeur, je ne mange rien, je me fais un café et encore... » « Tout de même », disait Laure. Les repas rapides qu'il leur arrivait de prendre ensemble étaient souvent pour Laure la caricature des ''vrais repas'' qu'elle eût aimé prendre avec Pierre ; et pour Pierre, au contraire, d'aimables dînettes récréatives, un soulagement, une occasion qu'il avait de marquer encore davantage son admiration pour Laure et sa capacité à ne pas se laisser ''enfermer'' dans la pesanteur des "obligations", des horaires — omettant que c'était lui qui le lui imposait. Laure en venait à oublier qu'elle détestait les repas de famille, les heures fixes, ainsi que les courses et la vaisselle, Pierre qu'il appréciait beaucoup la régularité des repas et s'attarder le soir longuement à table. La vie séparée ne pouvait aux yeux sévères de Laure n'être qu'un "semblant de vie" : en une demi-journée, parfois moins, il leur était arrivé de condenser un jour et une nuit d'un couple "normal", de se remettre au lit, à trois heures, de le refaire à cinq heures et de dîner la demi-heure suivante. Si, pour Laure, leur vie séparée ressemblait trop souvent à un simulacre de vie, pour Pierre, ce simulacre prenait un tour enchanteur, surtout quand ils avaient vécu en quelques heures l'équivalent d'une journée, terminée par un goûter d'enfants, avec des confitures d'orange mangées à même le pot. Évidemment, après le départ de Pierre, Laure contemplait avec un peu de tristesse le tas de serviettes mouillées dans la salle de bains, le lit défait, les restes de leur faux repas ; elle retournait en elle-même des images de la "vraie vie" qu'elle ne connaîtrait jamais. Pierre rentrait au contraire enchanté de cette journée de vacances : soit nécessité, soit commodité, soit goût véritable pour le secret, le jeu, le théâtre. Et, quand il y songeait, cette journée avait été une journée radieuse achevée par une séparation tendre sur le seuil de la porte de Laure, et une fatigue véritable le conduirait sans effort au sommeil. Qu'est-ce qu'une *vraie* journée leur aurait apporté de plus ? Une occasion de se quereller, quelques soucis et tracas. Du reste, que leur manquait-il pour être un couple véritable ? Pierre connaissait la date de son anniversaire (et celle de

164

ses règles), s'enquérait des parents de Laure, lui rappelait de payer une facture ou de donner sa voiture à réviser. Elle-même se faisait du souci pour lui quand il était enrhumé, et il leur arrivait souvent de finir le lendemain la tarte de la veille, signe infaillible de continuité. Cependant Laure se rebellait parfois de n'avoir d'autre choix que cette obéissance et cette compréhension. Pourtant, pendant longtemps elle ne se demanda pas ce que Pierre pouvait faire lorsqu'il l'avait quittée. Peut-être en fin de compte était-il plus préoccupé d'elle qu'elle ne l'était de lui quand ils étaient séparés, car il pouvait se l'imaginer, savoir dans quel espace elle se mouvait. Et il avait parfois bien des occasions que Laure ne soupçonnait pas de regretter leurs après-midi calmes : quand les enfants étaient enrhumés, Annie fatiguée ou la maison trop bruyante. Somme toute, Laure s'accommoda mieux qu'elle ne le pensait de l'existence divisée, mieux que ne l'exigeait le niveau des revendications qu'elle entendait maintenir à l'endroit de Pierre. Celui-ci, qui la croyait sur parole, montra cependant un peu d'agacement devant une observation qu'elle avait faite (il était question de remettre un rendez-vous à la dernière minute). « Si tu pouvais te mettre à ma place ! » dit-il. Elle le regarda. Il avait raison, elle n'y pensait pas. Mais il eut le malheur de poursuivre : « Oui, évidemment, si tu étais mariée comme moi, ce serait bien différent. » Laure entrevit toutes sortes d'idées désagréables, tapies dans l'obscurité comme des cloportes sous une pierre humide. (« Si j'étais mariée, pensa-t-elle crûment, tu pourrais le rester sans remords. ») Mais Pierre la regardait si tendrement, il y avait dans ses yeux une lueur d'émerveillement qui était contagieuse : à son tour, elle le regarda. Il ne pouvait pas être coupable. Il avait des yeux si confiants ! Elle devinait bien que le silence était préférable, car il était le signe tacite d'un accord, la convention qu'on accepte, de ne pas modifier ce que les deux parties ont intérêt à ne pas voir changer. En se taisant, elle épargnait à Pierre des questions gênantes, auxquelles il n'aurait pu faire face que par le silence, ou quelque mensonge. Mais elle s'épargnait aussi à elle-même bien des douleurs.

De temps en temps, il oubliait le contrat, comme le jour où il laissa Laure sur les échos pénibles et résonnants de cette phrase : « Tu sais, les enfants, je ne les ai pas voulus vraiment. » Pourquoi avait-il dit cela ? A quoi servait-il de l'avoir fait entrer un instant dans le secret d'une vie amoureuse qu'il avait connue et partagée avec une autre ? N'était-ce pas pour Laure pire encore d'imaginer que son union avec Annie n'avait eu d'autre fondement, d'autre raison d'être que l'amour ? Elle fut si désemparée qu'elle ne trouva rien à lui dire.

16

La question cependant que Laure ne posa jamais
— et qu'elle refusa même longtemps de se poser à
elle-même (soit qu'elle ait eu peur des réponses, soit
qu'elle ait eu honte de sa curiosité) — ce fut de savoir
si Pierre lui était fidèle. Dans les premiers temps d'ailleurs, comme il est normal, emportée par un élan
qui avait fait s'évanouir l'ordre habituel des raisonnements, des craintes, des espoirs, des soupçons, elle
n'y songea pas, elle était elle-même trop exclusivement absorbée dans son amour physique du corps
de son amant pour penser qu'il pût en être autrement pour lui. Lorsqu'ils se quittaient, ils étaient si
fatigués qu'il leur sembblait presque être las l'un de
l'autre — désireux en tout cas de "souffler", de "se
reprendre", et jamais il ne vint à l'esprit de Laure
qu'après tout il regagnait une maison où l'attendaient

167

des enfants, un chien, un dîner — mais aussi une compagne qui n'avait pas les mêmes raisons qu'eux de tomber de sommeil à huit heures. Durant toute cette période et en admettant qu'elle y eût pensé, et même si l'infidélité de Pierre eût été avérée, Laure n'en aurait peut-être pas tellement souffert, la violence de leurs retrouvailles l'eût consolée. Ce n'est pas dans le moment le plus haut des passions que la jalousie cause le plus de douleur ; celle-ci croît très souvent en sens inverse, elle est comme la dernière preuve de l'amour — ou comme l'assurance, à laquelle on s'accroche, qu'il n'a pas entièrement disparu.

Cependant, lorsqu'ils furent installés dans une phase plus stable et plus durable de leur entente, cette question ne put désormais plus être entièrement esquivée. D'autres que Laure y seraient peut-être parvenues, plus cyniques ou plus habituées au partage des sentiments. Laure franchit donc toute la série des degrés, connut l'ordre subtil des jalousies secondaires (qui existent en elles-mêmes et ne sont pas seulement, comme on le croit, des déguisements de la jalousie principale) ; à propos des repas en famille, des balades en forêt et des longs dîners dans le jardin. Il lui fallut cependant affronter cette dernière sans détour. Elle l'aborda de front ou plutôt elle fut attaquée de front par elle. Mais elle n'en parla pas à son amant. Laure se trouva donc aussitôt toutes sortes de raisons pour innocenter Pierre : il l'aimait, il était fatigué, ils étaient si comblés tous deux. Quand elle avait le soupçon vague que cela ne prouvait rien, elle s'accrochait à une phrase qu'il avait dite un jour : « J'ai si mal dormi cette nuit que je me suis levé pour corriger des copies. » Ou : « Ces temps-ci je me lève tôt, la petite est malade. » Il y avait pourtant un trou noir, des heures de nuit dont elle ne savait rien, mais il lui était possible le plus souvent d'en franchir le cap dangereux en dormant. Il était dix heures ? Il regarde la télévision, pensait-elle, ou bien il prépare ses cours pour demain ; puis : « Il est minuit (entre temps elle avait été absorbée par le film, par une lecture, par une conversation téléphonique avec Ghislaine). Maintenant, il dort, il était si fatigué tout à l'heure ! » Et quand elle se réveillait à sept ou huit heures : « Il se lève encore plus tôt que moi », pensait-elle. Les ombres de la nuit s'étaient dissipées.

Ce sont là cependant des raisonnements sans force contre l'évidence : aucune certitude ne pourrait jamais en découler et elle le savait bien. Soudain, à ces considérations rassurantes un argument vint s'opposer, dicté en elle par cette deuxième âme, méchante, toujours prête à lui nuire ou à nuire à l'image qu'elle avait de Pierre. Elle n'avait pensé qu'à Pierre : à ses désirs, à sa fatigue, à l'emploi de son temps, et sa fidélité probable reposait tout entière sur l'amour sincère qu'il avait pour Laure. Mais l'autre — celle qu'il allait retrouver chaque soir ? Quels raisonnements Laure pouvait-elle exercer à son sujet ? De quoi était-elle tenue vis-à-vis de Laure ? Laure en fut épouvantée. Contre cela elle était sans armes. N'ayant jamais pensé au corps charnel d'une "rivale" qu'elle n'avait jamais vue, Laure avait écarté d'elle toutes les images par où se serait affirmée la nature première du mariage, sa crudité, sa cruauté. Elle s'était habituée à y voir une série d'engagements, de contraintes pour Pierre, une règle austère, un ensemble de devoirs, et parfois même de corvées, jamais l'expression d'une entente physique.

Lorsqu'elle avait pensé à la vie de Pierre comme à celle d'un homme marié, c'était toujours naturellement "avant qu'ils se rencontrent", et si elle l'envisageait, l'échange amoureux des couples mariés lui était apparu comme une des nombreuses activités communes du mariage, analogue à la vaisselle, aux courses, quelque chose à quoi on se plie par habitude, par routine, par nécessité, jamais par goût. Ils avaient deux enfants, là sans doute était la "fin" de leur mariage, mais c'était chose faite et cette idée-là n'attirait pas trop l'attention sur la réalité du désir, l'attirance, le plaisir. Les enfants découlaient de la nature même du mariage, comme il est naturel qu'un atelier de menuiserie produise des fenêtres et des chaises. A la rigueur, Laure eût donc admis que Pierre pût continuer d'exercer ce degré inférieur du désir, qui conduit presque abstraitement à la procréation, à condition qu'il continue de lui réserver les formes ardentes, audacieuses, irréversibles, d'une attirance libre de tout engagement, inféconde et soumise à la seule loi du désir. (De là vient qu'elle avait été choquée par la remarque concernant les enfants qu'il "n'avait pas vraiment voulus".)

Quoi qu'il en soit, il ne fallait pas en l'occurrence faire intervenir seulement l'amour ou le désir de Pierre pour sa femme (car il était trop facile alors de lire chez Pierre des signes de désaffection ou de désengagement que ses rencontres avec Laure lui administraient aisément); il fallait aussi (ce qu'un homme eût fait tout de suite, éprouvant comme une guerre ou une rivalité, la présence d'un autre homme dans la vie d'une femme aimée), il fallait surtout songer à l'amour et au désir qu'Annie pourrait avoir du corps de Pierre, envisager qu'ils fussent parallèles aux siens, en lutte avec eux. Une douleur atroce s'empara de Laure : elle avait fait l'apprentissage de la jalousie physique (le sentiment d'abandon qu'elle éprouvait en songeant aux douces promenades dominicales de Pierre était parfois pire, du reste). Mais elle ne pouvait rien contre cette sorte de jalousie qui consiste à imaginer non seulement que l'objet de notre amour (ou de notre désir) peut désirer un autre que nous, mais aussi qu'il peut être pour un autre un objet de désir. Car contre ce désir-là, nous ne pouvons rien : nous pouvons penser qu'on nous restera fidèle par amour, par principe, par force d'âme. Nous pouvons même tolérer des entorses, des exceptions, les accepter et les comprendre : l'amour nous rend parfois généreux. Mais comment supporter l'idée qu'un autre, un tiers dont nous ne savons rien, que nous détestons même, puisse porter sur le corps chéri un regard de désir, des mains, une bouche concupiscente, le flatter, le séduire, l'amener par tant d'actions possibles à nous manquer de foi ?

Laure n'avait longtemps envisagé chez Pierre que les contraintes de son désir d'homme (et s'il lui était désagréable qu'il pût avoir envie de l'assouvir ailleurs et autrement qu'avec elle, elle eût pu s'en accommoder) mais il n'était pas possible sans une sueur d'angoisse de le voir refusant — ou acceptant — une étreinte, un embrassement ; cédant pas sensualité, par faiblesse, pour ne pas avoir d'histoires ; pour ne rien laisser deviner ; parce que l'isolement, un bon repas, une chambre refermée, une femme aimante sont des arguments bien puissants. Elle devinait toutes sortes de calculs possibles et de marchandages odieux ; la ressource que les hommes trouvent pour des apaisements faciles, quand on a pris depuis des années l'habitude de célébrer la réconciliation (ou de la hâter) dans un lit. Mais que savait-elle de tout cela ? Rien. De ces accords si anciennement noués, de ces habitudes profondes, de ces goûts communs sur lesquels ni le temps ni de nouvelles passions ne peuvent avoir de prise ? Elle se sentit vaincue.

Prudence ou gêne, ils n'abordèrent jamais clairement ce point ; et Laure savait qu'en ce qui concernait sa propre fidélité, Pierre ne pouvait se poser la moindre question. Il y avait là comme une cause de plus d'inégalité, une injustice véritable — là-dessus non plus il valait mieux ne pas insister trop. Du reste, toute entorse de Laure à leur entente eût été explicable (il s'était mis dans le cas de ne pouvoir prétendre à rien) mais en même temps plus grave : car elle aurait par là contracté de nouveaux engagements, alors que Pierre, en lui étant infidèle, n'aurait fait qu'obéir à des engagements antérieurs. Ainsi la question devint-elle absolument impossible à poser, car elle ne pouvait pas se formuler ainsi : « étaient-ils fidèles l'un à l'autre ? » et non pas même : « Pierre était-il infidèle à Laure ? » mais : « Pierre continuait-il d'honorer charnellement les liens de son mariage ? ».

Pierre suivit en gros le chemin que Laure avait imaginé. Durant des mois il fut tellement absorbé par la passion qu'il avait d'elle qu'il n'eut rien à résoudre d'aucune manière — rien à concilier. De surcroît, cette saison-là, le travail d'Annie au bureau l'occupa beaucoup ; ils rentraient l'un et l'autre épuisés, la tête douloureuse, et Pierre s'écroulait de sommeil le dîner fini. Annie ne s'en étonnait pas, ils avaient toujours eu un grand respect l'un de l'autre. Elle-même dormit aussi beaucoup. Elle n'était pas du reste une femme compliquée, elle connaissait Pierre si bien, et ses périodes de silence, de repli, de fatigue (justement pourtant, il se passait quelque chose dont elle ne savait rien, dont elle ne devinait rien, ne pressentait rien, malgré sa connaissance si profonde de Pierre). Elle était très attachée à lui, et tout allait bien entre eux, même quand il s'endormait près d'elle comme un enfant.

A la vérité, pour être franc, Pierre se sentait plus absorbé par Laure que véritablement éloigné d'Annie : il n'éprouvait pour celle-ci ni distance, ni de ces répulsions qu'on voit parfois apparaître, dans l'émergence d'un nouvel amour. Simplement, il ne la voyait (provisoirement) plus : mais il aimait tout de même à la regarder s'habiller dans la salle de bains ou s'attarder, renversée dans un fauteuil avant de retourner au travail. Et si le cas s'était présenté, il aurait certainement répondu par un désir analogue au désir d'Annie. Mais il s'endormait. D'ailleurs, il pensa très tôt qu'il aurait pu faire l'amour avec elle facilement (durant deux mois la question ne se posa pas, mais elle aurait pu se poser) sans pour autant être infidèle à Laure, sans penser non plus que par là il contractait envers Annie de nouveaux engagements ou qu'il renouvelait les promesses de son mariage. Et il pouvait se faire qu'ils cessassent un moment d'être amants sans pour autant considérer (ou faire soupçonner à Annie) que leur mariage était sur le point de se rompre. Pierre était plutôt conciliant : sa nature le portait à des arrangements que Laure eût jugé avec la dernière sévérité. Il n'en avait jamais parlé, mais il était sûr que ''Laure l'aurait immédiatement quitté" si elle avait été avertie de la poursuite ou de la reprisc de ses relations charnelles avec Annie. Il se soumettait à ce jugement implacable sans bien le comprendre, ce qui le poussa tout de même à un peu plus de dissimulation. Laure était comme cela, et il l'en admirait davantage. Dans son for intérieur, il n'en jugeait pas de même et ne se sentait pas tenu à une telle hauteur morale, à une telle rigueur : ces choses-là "ne sont pas graves", "elles ne signifient rien", se disait-il.

Entre Annie et lui, c'était un entracte, il le savait, et il ne ferait rien pour le prolonger. Il n'en parlerait évidemment pas à Laure, le jour où les choses auraient repris leur cours antérieur. Un soir viendrait (reviendrait) où ils se sentiraient heureux, apaisés, entourés d'une maison familière et du doux balbutiement des enfants dans leur chambre (et qui avaient ordre de ne pas les réveiller le dimanche matin); Annie se rapprocherait de lui dans le lit, ou encore, sans qu'elle bouge, Pierre avancerait sa main vers elle et rencontrerait son épaule, son dos, ses seins, qu'il avait toujours trouvés si beaux. Alors il se mettrait à la caressser et Annie se tournerait vers lui avec un soupir heureux. Et quand il se lèverait un peu plus tard — Pierre en était sûr — son amour, son désir pour Laure seraient là, intacts.

Tout cela — les contraintes acceptées, les résignations, les questions informulées, ce mixte de bonheur surprenant et de douleur quotidienne —, c'était ce que Laure appelait, en elle-même, leur "entente". Il y a dans l'usage que nous faisons d'un vocabulaire, une gamme d'exceptions et de règles qui nous tiennent lieu de philosophie et de morale. Dans le cas de Laure, le choix d'un vocable précieux et un peu inattendu obéissait à deux lois : la première, qui pousse à utiliser (en les puisant au fond commun) des termes convenant à l'intimité (des sobriquets comme "poupette" ou "biquet" ou encore "faire catleya") ; la seconde qui oblige à trouver des façons "personnelles" de se nommer, et qui répondent à l'idée qu'on a de la particularité et de la noblesse d'un sentiment, sans rapport avec ceux que l'entourage et la société nous montrent. Mais il s'y ajoutait aussi une autre raison que Pierre accepta sans trop la comprendre : il fallait trouver un mot, qui sans la mettre entre parenthèses, prouvât que la relation n'était pas entre eux exclusivement charnelle, qu'elle reposait sur de solides bases intellectuelles et affectives. Pour Laure, il fallait tenir un équilibre : donc ne pas risquer le ridicule, par exemple, de "nos gouzi-gouzi" ; être ni trivial, ni trop ouvertement érotique : elle trouva donc naturellement le terme d'entente, qui avait en même temps l'avantage de donner à leur illégitimité une légitimité plus haute. C'est ainsi qu'elle se mit à écrire : « n'est-ce pas une des contraintes de "notre entente", etc. ? » Mis au début entre guillemets, le mot était apparu presque comme une citation : il resta. Aux yeux de Laure, c'était un merveilleux euphémisme — leur langage du reste les aimait beaucoup : "s'échapper", "trouver une heure", "aller au lit", "rien à faire aujourd'hui" (pour dire par téléphone qu'il y avait un déjeuner avec les beaux-parents, ou une visite de la petite chez le médecin), la "famille" quand il aurait fallu dire, plus crûment, "ma femme et mes enfants", ou plus simplement "ma femme" ; "les gosses" pour parler des enfants, ce qui les ramenait à une généralité indistincte, épuisante et braillarde, pour qui on n'a de sentiments que par convention; ou enfin "de vagues amis" pour parler d'un couple avec lequel pendant dix ans on avait été très lié et qui n'aurait jamais admis leur "entente". Ce curieux mélange de langage adolescent et d'images élusives ramenait Pierre des années en arrière, à l'âge des excuses maladroites, aux confidences bourrues entre copains : "je suis sorti hier avec les parents" ou avec "la famille" pour ne pas dire "ma mère". Pierre faisait usage aussi d'un "je" ambigu, équivoque. "Je suis allé à la campagne hier", cela signifiait-il, seul, afin de retrouver un peu de cette solitude qui lui manquait (disait-il), ou bien qu'il n'avait osé dire "en famille"? Laure ne demandait rien. De toute manière, tout hypocrite qu'en était l'usage, ce "je" lui faisait du bien, comme s'il lui avait montré que le "je" n'est jamais totalement fondu dans l'unité du couple, le sein de la famille, et qu'il reste toujours autonome et distinct. A la maison, Pierre devait user aussi de pareilles prudences et d'un langage encore plus vague : « Je ne sais pas d'où ça sort » répondait-il lorsqu'Annie lui demandait (sans aucun soupçon) ce qu'était ce livre qui traînait sur la table de la salle à manger et qu'il avait rapporté le jour même de chez Laure. Ce "je ne sais pas" ou encore "je ne sais pas ce que c'est ce (vieux) truc" lui servait dans les deux camps, pour expliquer chez lui un cadeau, un livre, un stylo, un carnet donnés par Laure et chez Laure un pull-over ou une montre offerte par ses enfants pour son anniversaire, par sa belle-mère, par Annie. Il finissait lui-même par s'y perdre, et par accepter de sentir régner dans sa tête le brouillard dont il était obligé d'envelopper ses actions. « A quelle heure es-tu sorti aujourd'hui? » demandait (innocemment) Annie. Il ne savait plus, et c'était vrai. Pourtant il n'était pas allé chez Laure. A tout hasard, il valait mieux répondre : « Je ne sais pas, à cinq heures, je ne sais plus. » Mais Annie le lui demandait rarement. Il semblait parfois à Pierre qu'avec le temps il était devenu comme une série d'îlots d'actions détachées, flottant sur un océan sans contours.

Pour en revenir à "entente", le choix de ce mot était vraiment excellent. On avait toutes les raisons d'éviter l'odieux "collage", non moins que l'insipide "liaison". Mais si Pierre et Laure étaient tacitement d'accord pour écarter tout autant les mots modernes d'"affaire" ou d'"histoire", seule Laure semblait tenir à ce que, dans le terme choisi, l'aspect érotique ne soit pas mis en évidence. Au contraire, Pierre avait plutôt tendance à se féliciter de la vive force charnelle de leur union, et à la commenter, pour Laure, en des termes dont l'enthousiasme selon elle tempérait à peine la crudité. Même lorsqu'il était venu "en coup de vent" ou lorsqu'il devait rentrer chez lui plus tôt que de coutume, il aimait en la quittant se féliciter de n'être venu "que pour ça". Justement, c'est ce que Laure n'aimait pas.

17

Car, si passionnés que fussent leurs échanges amoureux, et vif le désir que chacun d'eux inspirait à l'autre (si brutal parfois leur assouvissement, si attachée que Laure fût au corps de son amant, et Pierre au sien) il fallait surtout que, dans les faits autant que dans le langage employé, leur entente ne pût pas se résumer là tout entière. Il y avait sur ce point, chez Laure, bien de la convention, et la survivance d'une image des femmes (qu'elle avait héritée de sa mère) selon laquelle les hommes sont plus physiques que les femmes, plus exclusivement consacrés à l'aspect charnel de l'union. Dans le même temps, on pouvait y lire la volonté quasi désespérée d'inscrire davantage leur union dans le temps, et le souhait qu'une ou deux heures de présence supplémentaire fissent de Pierre autre chose qu'un simple partenaire sexuel. Il fallait donc, à tout prix, que, dans une entente qui n'était ni une "aventure" ni une "liaison" ordinaire, on pût inclure les conversations (trop rares), les promenades (plus rares encore), quelques repas : Laure tenait beaucoup à respecter jusque dans les mots ce semblant de vie commune dans la vie séparée.

Mais qu'y faire ? Lorsqu'on avait été quelques jours sans se voir, ou lorsqu'on ne disposait que de quelques heures (ou quand Pierre "s'était échappé" un matin) on n'allait tout de même pas se contenter de bavarder autour d'une tasse de thé. De sorte que, après plusieurs semaines où le même processus s'était déroulé, Laure pouvait légitimement craindre que l'échange amoureux fût devenu la seule réalité de leur entente. Il y avait un peu d'injustice à s'en plaindre, naturellement, car elle aurait été plus mélancolique encore et déçue si Pierre était reparti sans qu'ils aient pu (même pour une demi-heure) se tenir serrés à l'abri de tout au creux de sa chambre et de son lit, et dissiper toutes les querelles, les doutes, les brouilles, les ressentiments dans les retrouvailles joyeuses et passionnées de leurs corps. Mais Laure n'admettait pas qu'il y eût de comparaison possible entre leurs rencontres et, par exemple, celles d'une "serveuse de café et d'un voyageur de commerce", pour employer une comparaison péjorative chère à sa mère : il suffisait pour l'éviter que l'on ait pu ménager autour de l'acte amoureux (indispensable pivot de leur entente) un espace libre où prendraient place un goûter, une conversation, un peu de lecture. Souvent, du reste, par commodité, conversations, goûters et lectures avaient lieu dans son lit : Laure, d'ailleurs, aimait beaucoup cela.

Mais c'est aussi que (une fois mis à part la station obligée dans la chambre de Laure et la passion toujours renaissante de leurs corps, et les dînettes et conversations au lit) ils ne pouvaient guère aborder les zones classiquement fermées aux amours adultères : il n'était pas question d'aller au cinéma (trop peu de temps, risque de rencontrer des amis, des relations ou des collègues) ni, à plus forte raison, à aucun des (rares) spectacles qui se donnaient uniquement le soir. (Du reste, ce genre de sorties — théâtre ou concert — ne faisait pas partie de la vie qu'ils menaient chacun de son côté, mais du rêve de vie qu'ils s'étaient forgé et dont ils ne parlaient pas souvent.) Ainsi, les "livres" et les "conversations" prirent bizarrement une place considérable et devinrent comme le substitut d'une vie supérieure, libre, qu'ils n'auraient jamais, ni ensemble, ni séparément. Les livres peuplèrent leur silence, leur séparation et leur clandestinité. Ils apportaient un souffle du dehors, en les reliant en quelque sorte à la grande vie de l'esprit, à celle des grands amants dont ils lisaient ensemble la correspondance. Leur vie était un peu comme celle des habitants d'un pays occupé par une armée étrangère : on se replie sur la maison, sur soi, sur les valeurs de l'intimité. Là était la fierté de Laure : cet amour, assurément, les séparait du monde, mais il les séparait aussi de la vulgarité et de la pauvreté de la vie ordinaire : il leur donnait accès à un autre, qu'ignoraient certainement ceux qui autour de Laure se contentaient des apparences sociales du bonheur. C'était le monde des livres, sans doute, mais en même temps celui des pays

180

où ils voyageraient quand ils le pourraient, où ils auraient voyagé s'ils avaient pu : ils ne faisaient du reste pas de projets concrets. Laure avait accepté l'idée que la vie de Pierre n'était qu'une suite de fastidieuses corvées, et qu'elle y représentait non seulement une parenthèse, mais une bouffée d'oxygène, un moment de vraie liberté et de vraie vie.

Ainsi ils entrèrent, tous les deux, quoique de manière différente, dans les dédales complémentaires de la "clandestinité" : Pierre n'en faisait pas un système, il parlait gentiment à la concierge et n'hésitait pas à faire avec Laure quelques courses (prudentes) dans son quartier. Mais il "faisait attention" et elle ne pouvait lui donner tort. Petit à petit, elle devina cependant chez Pierre un sentiment dont elle ne comprenait pas exactement la nature (pas plus qu'elle n'avait compris son goût pour un amour "sans contraintes", "sans engagement") qui était un goût profond, véritable du secret, et qui ne lui était pas seulement dicté par la nécessité. Il aimait le secret pour lui-même, pour sa beauté : il goûtait extrêmement cette façon de venir abruptement chez une femme, sans l'avoir prévenue et de l'entraîner dans sa chambre (avec Laure, il ne pouvait pas souvent le faire, il la sentait contrariée ; avec l'infirmière, oui). Laure finissait par lui être d'autant plus chère qu'il ne pouvait garder commodément chez lui (ou même sur lui) ni lettres, ni photographies, ni traces d'aucune sorte. La clef de Laure elle-même lui posa quelques problèmes : Annie la découvrit un jour sur la tablette de l'entrée où il l'avait jetée par hasard, en vidant ses poches. Il ne sut que dire, sauf « Je ne sais pas, j'ai dû la trouver dans la rue. » « Jette-la alors, dit Annie, ne garde pas ça, ça ne peut servir à rien. » Devant elle, il la mit vite à la poubelle et, l'ayant retirée le soir, il en essuya honteusement les traces de marc de café avec une feuille de Sopalin. Sans doute aimait-il aussi le secret parce qu'il donne du romanesque à l'amour ; parce qu'il érotise les rencontres ; parce qu'enfin, il comporte d'exquis renversements : la nuit en plein jour dans une chambre dont on tire les rideaux, un réveil abrupt après quelques minutes de sommeil en pleine après-midi, tout cela qui était exclu du mariage, à cause des enfants, des beaux-parents, d'un coup de téléphone ou de la visite impromptue d'un ami, et aussi parce que la vie d'un couple marié met un terme définitif aux caprices des jeunes gens. Mais comment faire comprendre cela à Laure ? Cette sorte de secret l'étouffait un peu. « C'est vrai, dit Pierre un jour, ma vraie vie est ici (pour une fois il avait apporté du travail et s'était assis avec des livres à la table ronde). Dans le secret. » Laure en conçut un peu de joie : celle aussi de savoir ''garder un secret'', d'être heureuse dans le silence et la discrétion, loin de l'ostentation qu'elle jugeait presque obscène des amours à ciel ouvert.

Ainsi pendant longtemps rien ne lui manqua : et il lui arriva même de porter un regard de légère supériorité sur les autres jeunes femmes qu'elle rencontrait chez le coiffeur ou au supermarché, qui exposaient un visage marqué par un mélange crispé de bonheur légitime et de soucis familiaux. ''Leur entente'' la portait invisiblement ; de cela, ces femmes ne pouvaient avoir idée. Comment auraient-elles pu imaginer ce bonheur-là ? N'était-ce pas justement cette image qu'elles redoutaient par-dessus tout ? N'était-ce pas pour elles la menace même ? Quel nom auraient-elles pu lui donner, à ce bonheur secret, sinon infamant et mesquin ? En ces moments, Laure sentait monter en elle un ressentiment qu'elle croyait juste et une révolte. Il nous faut beaucoup de temps pour admettre que la représentation qu'on a de nous (ou de telle situation que nous sommes contraints de vivre) bien qu'elle ne tienne pas compte de particularités pour nous tout à fait essentielles, et même lorsqu'elle découle d'une observation incomplète, ne nous méconnaît finalement pas tant que nous le croyons : que nous sommes loin d'être l'exception que nous étions sûrs d'être. Ainsi des idées et des images qu'entraîne le mot de "liaison", qui choquaient Laure au point qu'elle lui avait substitué un équivalent plus précieux, plus romanesque et qu'elle croyait surtout plus juste. Sans doute l'image qu'on a de nous, et le nom dont on nous désigne, nous ramènent-ils à des schémas plus grossiers, et c'est là ce qui choque notre sentiment interne (si puissant) d'originalité. Notre expérience est unique : elle l'est vraiment. Mais à travers elle, nous avons cependant rejoint le lot. Pierre était bien "comme les autres", hypocrite, tendre, faible et sensuel ; et elle comme les autres : passionnée, ombrageuse, triste. Jusque dans ce désir d'élever sa "liaison" au-dessus du niveau commun, Laure était restée conforme au modèle.

Pourtant, si désespérante que soit l'idée que les autres ont de nous, elle est parfois notre seul recours, notre seul secours : c'est en elle seule, en effet, que nous pouvons puiser du réconfort, c'est grâce à elle que nous pouvons ramener notre expérience à de plus justes proportions, et découvrir que nous ne sommes pas les seuls à être victimes ou responsables d'une situation qui nous accable.

Mais le bonheur, dira-t-on ? Pendant tout un temps, Laure en fut comblée, puisque c'est dans le sentiment d'être une exception qu'elle en trouvait la source la plus féconde : dans son aveuglement. Mais, lorsque ce sentiment se fissura, elle se retrouva désarmée, blessée, sans forces. Elle continua de penser qu'elle avait été une exception : mais cette fois dans l'art d'être dupe. Mais, en attendant, elle donnait à Pierre l'impression qu'elle vivait dans un état de rêve. Il y avait quelque chose qui n'était pas naturel et ne pouvait durer toujours. Pierre parfois prenait peur, qu'arriverait-il lorsqu'elle se réveillerait ? « Je te prive de tout, disait-il, et je ne te donne rien. » Elle ne comprenait pas. « Je t'aime, disait-elle, est-ce que cela ne suffit pas ? Comme tu es, comme nous sommes. » Pierre secouait la tête : « Non, je le sais bien, je te fais du mal. » Elle protestait, refusait de le croire (pourtant ce mot de Pierre avait éveillé en elle un dangereux écho). Elle finissait par se ranger intérieurement à son avis : mais c'était suffisant qu'il se fût reconnu coupable, qu'il eût devancé un reproche qu'elle ne songeait pas encore à formuler. Elle lui pardonnait tout. Ils s'étendaient côte à côte, se touchant à peine, les yeux clos, puis amorçaient quelques caresses lentes. « J'étais si malheureux, disait Pierre, si tourmenté. » Ils avaient laissé l'eau bouillir et ne recueillirent qu'un peu de calcaire brûlé au fond de la bouilloire lorsque Laure voulut faire du thé. Elle serrait les jambes musclées de Pierre entre les siennes et regardait la rose coupée dans un vase bleu. Elle la mit à sécher deux jours plus tard dans un volume de l'*Encyclopaedia Universalis*.

Lorsqu'ils avaient ainsi échangé leurs places respectives (Laure consolant Pierre du mal qu'il croyait lui avoir fait), Pierre rentrait chez lui extrêmement soulagé. Une fois parmi tant d'autres — mettons un soir de décembre 1974 ou de janvier 1975 — il arriva chez lui alors que la nuit était complètement noire. Quand il eut arrêté le moteur dans le garage, il se sentit très heureux. Il respira profondément. Dans le couloir, il posa contre le radiateur sa serviette bourrée, et resta un moment dans le noir, écoutant à travers la porte de la salle à manger le bavardage heureux des enfants et de leur mère. Un éclat de rire monta. Il se sentait protégé, doucement enveloppé de tiédeur, insouciant et comblé. Il alluma la lumière et passa dans la petite salle de bains se laver soigneusement les mains. Elles le voulaient toutes deux, pensa-t-il avec une flambée de désir et un cynisme nouveau qui l'étonna. Il pensa qu'il pouvait sans effort répondre à cette double demande.

Faisant quelques pas dans la pièce, il s'approcha d'Annie et lui caressa la joue, puis se laissa tomber comme d'habitude dans le coin effondré du canapé et retira de dessous ses fesses une petite auto de plastique qui s'y était glissée. Il avait faim. L'odeur du poulet grillé l'émut. Dès la fin du dîner, ils se retrouvèrent seuls, les enfants étaient allés se coucher et Pierre emporta dans la salle à manger la bouteille de vin et leurs deux verres. Son corps souple jouait bien ; Annie avait fait du feu dans la cheminée ; le chien grognait dans son sommeil. Les flammes montant et redescendant selon des formes capricieuses et prévues semblaient lui dire : « Sois heureux, ne te tourmente pas, sois heureux. » Un peu plus tard il rejoignit Annie dans leur lit. « Tu sens bon », dit-il. De la chambre voisine un appel leur parvint. C'était la petite qui parlait dans son sommeil. « Dors », dit-il assez haut. La voix se tut. « Tu sens bon », répéta-t-il. « C'est ma crème », dit Annie, Mais elle souriait. Dans la demi-obscurité, il vit qu'elle s'était retournée vers lui. Il glissa sur le côté et referma sur elle ses bras sans remords.

III

18

A Noël 1976, il y avait quatre ans que Pierre et Laure s'étaient rencontrés : le quatrième automne de leur entente s'achevait. Il avait semblé à deux ou trois reprises ne leur offrir que des répétitions : même le bonheur semblait se répéter. Mais l'observation méticuleuse des contraintes du temps, la régularité s'étaient installées ; l'amour s'y était plié. Ils avaient chassé cette idée tous les deux. Début décembre, un vague projet vit le jour, à cause du froid : une idée de Hollande, de canaux gelés, de ciel turquoise traversé d'oiseaux. Mais sans force.

Du reste, les enfants revinrent de l'école, à deux jours d'intervalle, le visage rouge, les yeux pleins d'eau : c'était la varicelle. Laure soupira. Elle irait plutôt à Blois, au mariage de son cousin. Elle aurait bien émis quelques plaintes, un semblant de revendication, mais elle se ravisa. « Tu te souviens d'Ostende ? » dit-elle tout de même. « Si je me souviens, dit Pierre, j'y pensais tout le temps ces jours-ci. J'ai même écouté deux fois la chanson de Léo Ferré. C'était comme un secret de plus entre nous. » Laure, à cette remarque, éprouva un peu d'agacement. A l'évocation puérile d'un secret d'adolescents punis, elle aurait préféré quelque projet plus concret. Mais elle se tut. Pierre, en la quittant, la serra très fort : « C'est toi, ma Hollande, mes voyages, mon aventure, ma vraie vie. Je n'ai besoin de rien d'autre puisque je t'ai. »

L'année qui avait suivi leur rencontre, un ancien camarade de lycée de Pierre, professeur à Lille, avait invité Pierre à participer aux réunions préparatoires d'une association d'enseignants. Ce n'était pas un sujet qui le préoccupait beaucoup ; il accepta tout de même, à tout hasard, sans en parler à Laure. Rien n'était sûr : « J'irai avec toi, dit Annie, on peut envoyer les gosses chez maman. » « Bien sûr », dit Pierre, déçu mais résigné. Après tout, il y avait long-temps qu'il n'avait pas fait de voyage : ils pourraient passer deux jours en Belgique. Il ne dit rien. Puis : « Nous habiterons chez Marc, il m'invite. » « Je ne l'aime pas trop, dit Annie, je n'aime surtout pas sa femme, mon Dieu ! quand elle me regarde, elle me fait peur. Elle doit penser Dieu sait quoi de moi. » « Tu connais ses idées, dit Pierre, ses engagements. » « Ce n'est pas ça, dit Annie. Je ne sais pas. » Au dernier moment pourtant Annie recula ; elle voyait si peu ses parents : « Depuis que nous sommes mariés, je n'ai jamais été un peu seule avec eux, ils

seront si contents de m'avoir un peu. » « Merci »,
dit Pierre. « Oh, mon chéri, dit Annie, une petite
semaine seul ce n'est pas si terrible. »

Pierre décida donc Laure à prendre trois jours.
« Si tu veux, dit-il, tu peux venir jeudi soir, nous
aurons trois grands jours à nous. J'avais dit à un
copain que j'habiterais chez lui, mais c'est peut-être
mieux si nous allons à l'hôtel. » « Sûrement, dit
Laure, je ne me vois pas habiter chez ton ami. »

Pierre partit avant elle ; les deux premiers jours
lui parurent fastidieux : ils avaient proposé une
charte, voté des statuts, établi un barème de cotisa-
tions : on aurait dit une assemblée syndicale, c'était
bien décevant. Pierre refusa d'être nommé trésorier,
Marc d'être nommé président, Pierre s'en étonna.
Le troisième jour, Pierre attendait son ami devant
le réfectoire du lycée ; il ne lui avait encore rien dit.
« Tu n'es pas trop déçu ? » dit Marc. « Un peu, dit
Pierre, mais je crois que ça va se dessiner. » « Bien
sûr », dit Marc avec une pointe de mépris dans la
voix. (Il avait été pendant longtemps un militant très
efficace.) « Il leur manque le sens de l'organisation,
mais il faut les laisser faire, ils vont y venir tout
seuls. » « Tu aurais dû être président », dit Pierre.
« Pas si bête », dit Marc, qui s'était contenté en
apparence d'une vague charge ''aux orientations
générales''. « Je voudrais te dire quelque chose, dit
Pierre, je ne resterai ni jeudi, ni vendredi ; je vais
faire un tour en Belgique. » « Oh, dit Marc, tu peux,
il ne se passera rien ces jours-là, profites-en. Ta
femme a des vacances ? » ajouta-t-il avec un air
d'innocence sévère qui intimida Pierre sur le moment.
Il se secoua. Après tout, il ne lui devait rien. « Non »,
dit-il. « Les miens, oui, dit Marc, mais tant pis, on

191

ne bougera pas, ça leur donnera le sens du collectif. » « Les enfants sont chez leurs grands-parents du côté de Guérande, avec Annie. Mais je voudrais passer deux jours en Belgique avec une amie et je compte sur toi pour dire que je suis resté chez vous jusqu'à la fin. » Marc se pinça la moustache entre deux doigts et tira un peu. « Dans quoi tu t'es embarqué ? » « Mais dans rien », dit Pierre. « Cela ne me regarde pas, dit Marc, après tout tu fais ce que tu veux. » (Heureusement, pensa Pierre. Mais il se sentait irrité.) Puis, après un instant, Marc reprit : « Elle arrive quand ? » « Jeudi soir », dit Pierre. « Je ne te dis pas de venir dîner avec elle, dit Marc, ma femme et Annie sont des amies, cela me gênerait pour elle. » (Des amies ? pensa Pierre. Si tu entendais ce qu'Annie dit de Marie-Paule !) « Du reste, dit Pierre, nous n'aurions pas pu, nous comptons partir aussitôt. »

Marc et sa femme s'étaient connus aux jeunesses communistes dans la fin des années cinquante. Marie-Paule aimait alors à citer (incorrectement) Clara Zetkin (Pierre s'en souvenait bien) : « l'amour ne se boit pas comme un verre d'eau. » Un verre d'eau, pensa Pierre. Laure est mon ivresse, ma boisson forte, ajouta-t-il en lui-même d'une façon qui lui sembla tout à fait ridicule.

Laure et lui dînèrent joyeusement dans un restaurant cossu éclairé par des appliques murales roses et de petites bougies en buisson à chaque table. Ils burent un peu plus que de raison, et Pierre ne pouvait se retenir de poser à chaque instant sa main sur celle de Laure. « Ma douce », disait-il. En réalité, il était troublé, presque intimidé. Vers dix heures, il appela Marc : « Non, dit celui-ci froidement, personne n'a appelé, mais sois tranquille, j'aurais trouvé quelque chose. Ça boume ? » Et il raccrocha. Pierre avait retenu une chambre à l'hôtel de la Mairie : elle était étroite, la lumière d'une enseigne l'éclairait par intermittences, et on entendait au loin le passage des autos sur "la radiale". Laure avait posé sa valise (une valise un peu trop grande, elle n'en avait pas d'autre) au milieu de la chambre, la porte de l'armoire ballait, il fallait la refermer sans cesse.

Pierre avait apporté le matin son sac de chez Marc ; sans dire un mot, ils se déshabillèrent et, pour la première fois, ils s'étendirent ensemble dans un lit qui avait été préparé pour eux, leurs affaires mêlées sur un fauteuil, et leurs brosses à dents dans le même verre. Dans le sac de Pierre, Laure aperçut un pyjama qu'il ne mit pas. Elle n'avait jamais vu Pierre en pyjama, ni même un pyjama de Pierre. Ils étaient tellement émus qu'ils éteignirent la lumière, se serrèrent l'un contre l'autre et ne firent l'amour que beaucoup plus tard, dans la nuit, avec maladresse. Puis ils s'endormirent et se réveillèrent peu de temps après, à cause du bruit de la route et des lumières de la rue. Pierre se leva deux fois pour tenter d'ajuster mieux le rideau.

Au matin, ils mirent leurs bagages dans le coffre de la voiture de Laure, et Pierre prit le volant. Laure le regardait en souriant, avec la carte et le guide sur les genoux. A leur premier arrêt, comme elle ne voyait pas Pierre revenir : « Votre mari vous attend dehors », dit la caissière à Laure. A deux heures ils étaient à Bruges, à cinq heures à Ostende, et de là

Pierre appela de nouveau Marc. Laure ne demanda rien. « J'ai dit ce qu'il fallait, dit Marc, tu es au cinéma. Tu as vu un Hitchcock, j'avais mal à la tête, je t'ai laissé aller seul. » Avait-il parlé à Marie-Paule ? Pierre se souvenait de Clara Zetkin, et il les imaginait tous deux, la lumière éteinte, dans l'obscurité de la chambre conjugale. « Je ne t'ai pas dit, mais Seguin me paraît embringué dans une drôle d'histoire. » Non, Marc ne dirait rien à Marie-Paule. Pierre avait même cru lire un peu d'envie dans son regard quand il l'avait accompagné à l'hôtel. « Mais, dit-il, tout allait bien à la maison ? » « Je crois, dit Marc, je n'ai pas eu le temps de demander, et la communication était très mauvaise. Annie a simplement dit qu'ils rentraient tous demain. » « Qui, tous ? dit Pierre. Les beaux-parents aussi ? » Mais Marc avait déjà coupé. Pierre raccrocha.

Cependant, une fois dehors, puis durant toute la soirée et la journée du lendemain, Pierre oublia tout. Le soleil froid perçait dans la brume matinale, ils se sentaient comme les amants des films, et Pierre en serrant Laure contre lui sentit contre sa joue le nez froid et humide de sa compagne. « Aïe », fit-il avec un rire heureux. Il avait passé le bras autour de ses épaules malgré leurs manteaux épais. « Allons voir les bateaux », dit-il. Le lendemain ils passèrent la journée à Gand et ils restèrent peu de temps, à cause du froid de l'église, devant le retable. Cependant la ville leur plut : c'était bien ce qu'ils avaient pensé, confusément, leur vraie patrie était là, dans des villes dont ils ne connaissaient ni l'histoire, ni la langue, ni non plus les habitants d'aujourd'hui, sauf ceux avec qui ils avaient des relations inévitables (garçons de café et femmes de chambre d'hôtel, gardiens de musée, bateliers qui parlaient un français approximatif qui les égayait ou un anglais qu'ils ne comprenaient pas toujours). « Mais j'ai faim ! moi », disait Laure. C'était déjà le samedi soir : un grand dimanche cependant les attendait encore ; ils pourraient même dormir à Lille et Pierre en repartirait comme convenu le lundi matin par le train. On était à l'avant-veille de Noël, les rues étaient remplies de monde et, pour une fois, Laure et Pierre regardaient ensemble une agitation familiale qui ne les concernait pas. Il faisait extrêmement froid ; Laure avait glissé pour se réchauffer sa main dans la main de Pierre que celui-ci tenait enfouie dans sa poche ; le contact de leurs paumes était si étroit, et mouillé de sueur, que leurs mains firent un petit bruit de succion en se séparant. « Rends-moi ma main, dit Pierre, que j'ouvre la porte. » Le café était chaud, accueillant, peuplé. Après la promenade au grand air, Laure sentit ses joues devenir très rouges ; elle avait sommeil. Ils s'endormirent très vite aux bras l'un de l'autre une fois dans la chambre d'hôtel. Ils en avaient déjà l'habitude : c'était leur deuxième hôtel. Mais leur sommeil fut agité : ils se réveillèrent dix fois, gémissant, se cherchant, s'assurant de la présence de l'autre. Éveillé complètement vers trois heures Pierre se sentit plein de gratitude, il ne savait envers quoi.

Le lundi matin, ils se séparèrent dans le brouillard sur le quai de la gare. « Ne pleure pas, dit Pierre, j'ai le cœur gros moi aussi. » « Je ne pleure pas », dit Laure. Mais elle avait les yeux pleins de larmes. Cependant, elle avait trouvé qu'au matin le visage de Pierre n'était plus tout à fait le même, fermé, absent. Est-il déjà ailleurs ? pensa-t-elle. En train d'imaginer des prétextes ou de s'inquiéter pour ses enfants ? Il s'était tourné vers elle. « Pardon, dit-il, je n'ai pas très bien dormi. » Elle ne lui demanda pas pourquoi.

Ce court voyage laissa dans l'esprit de Laure un ensemble de sentiments mélangés. Elle regrettait évidemment qu'il n'ait eu lieu que par suite d'un hasard, dont la répétition était hautement improbable. Mais ç'avait été, somme toute, une réussite : ils y avaient trouvé l'occasion de confirmer la profondeur de leur entente (pas la plus petite querelle, le plus léger agacement en trois jours) et la confirmation aussi qu'ils ne s'entendraient jamais mieux que dans des lieux comme faits pour eux. Ils avaient eu de "vraies nuits", s'étaient réveillés le matin ensemble, avaient connu la vie en "temps réel". Surtout, ils avaient ensemble côtoyé ce qu'ils aimaient, et dont ils avaient si peu l'habitude : les pays étrangers, les œuvres, le passé, la beauté des villes anciennes. Car ils avaient tous deux fini par nourrir bien des griefs contre leur ville, sa région à l'esprit étroit, son climat : même Laure, qui avait montré jusque-là tant de consentement apparent. Mais les difficultés où se heurtait chaque jour son entente avec Pierre avaient fini par se confondre pour elle avec l'atmosphère étroite de la ville : ses vitrines bêtes, ses "pantashops" étalés dans le quartier piétonnier, les nouvelles terrasses des cafés bondées de lycéens — ses habitants si uniquement occupés de la vie pratique, une vie qui ne laissait pas de place à la rêverie, à la flânerie, aux œuvres, aux livres. Pierre, de même, après s'en être accommodé durant des mois, songeait qu'il était temps de se réveiller : et il accusait le ciel gris de la ville, le passage monotone des nuages sur les campagnes jaunes et boueuses de l'« endormir », de le rendre paresseux, velléitaire, résigné. Laure, à vrai dire, n'avait besoin que de Pierre : et Pierre, justement avec Laure, avait découvert combien sa vie était insatisfaisante, en se trompant peut-être sur les motifs de cette insatisfaction. Et puis c'était commode : en ouvrant les pages d'un hebdomadaire, en feuilletant une revue de cinéma, ils ressentaient une impression d'exclusion. Tant d'obstacles ! tant d'éloignement de tout ! Si on restait à R., rien n'était possible. Mais ils y restaient, et continuaient de mener cette même vie insatisfaisante. Ils finirent ainsi par pratiquer un système de valeurs à deux étages : en haut, celles dont à R. "ils étaient privés", en bas, celles qui nourrissaient leur existence quotidienne. De lui-même, Pierre lisait peu ; il trouvait de bonnes excuses pour rester devant le poste de télévision chaque fois qu'une occasion se présentait (si rarement) d'aller au théâtre ou au concert. Et lorsqu'il lui arrivait de devoir conduire les élèves au musée local, il devait s'avouer que c'était une corvée, parce qu'ils étaient bruyants et indisciplinés, et aussi parce qu'il n'avait pas d'intérêt véritable pour les œuvres qu'il était chargé de leur faire aimer. (Et cependant, aux yeux de ses élèves, Pierre apparaissait comme quelqu'un pour qui ces choses-là existent, et qu'elles "font vibrer" : « Tu as vu Seguin ? » disaient-ils entre eux avec un mélange de respect, d'ironie et d'incompréhension. « L'art, c'est son truc, il est fou de ça », tandis qu'il dissertait d'un ton morne sur les vases grecs de la Collection Desparts.) La partie haute de son système de valeurs s'incarnait naturellement dans le voyage en Italie : promenades en Toscane, les bras bronzés sortant d'une chemisette, un guide ouvert entre ses doigts en sueur. Mais la vie de Pierre était surtout faite de la réalité de tous les jours : soirées en famille, travail régulier coupé de quelques samedis au cinéma. Il s'était aussi accordé sans effort à Annie : ce qu'elle aimait, c'était de temps en temps "un bon film", "même à la télé", et Pierre était d'accord avec elle, par une douceur de caractère qui le poussait toujours à éviter les conflits avec ceux dont il partageait la vie, et aussi par penchant. On comprend donc que Laure fût la "fierté" de Pierre. C'était à cause d'elle qu'il lui fallait se réveiller, se "tenir la tête hors de l'eau", sans grandes conséquences d'ailleurs : puisque les choses en resteraient toujours à l'état de projet.

Pour elle, il en allait un peu autrement ; et elle avait cru bon de se mettre au diapason des rêveries de Pierre — qu'il n'avait forgées au reste que pour lui plaire. Leurs goûts étaient communs : leur satisfaction facile. Laure écouta "davantage de musique", renouvela sa "chaîne", mais elle mit beaucoup de temps pour passer des *Quatre saisons* à l'opéra, et resta toujours au seuil des quatuors de Bartók qu'un collègue de Pierre lui avait pourtant conseillés, et que celui-ci offrit à Laure mais sans les avoir écoutés.

Cependant, en admettant même que "les voyages" (et surtout le voyage en Italie) eussent pu tout concilier, il était difficile d'aborder ce sujet : le réclamer, c'eût été pour Laure faire peser sur Pierre un grief de plus (elle en usait à contre-temps, au gré de ses humeurs plus que de ses envies véritables). Du reste, l'expérience qu'ils en avaient eue tous deux n'avait pas été bien convaincante : peut-être parce qu'ils n'étaient pas ensemble. Laure était allée en Italie avec son frère et sa belle-sœur ; Pierre, on le sait, deux ou trois fois avec de jeunes couples d'amis. Pierre n'avait d'ailleurs que méfiance pour les emballements convenus de ses collègues ; comme Mme Rougier (une femme entre deux âges, professeur de lettres comme lui) qui passait toutes ses vacances de Pâques en Toscane avec son mari et en revenait, disait-elle, « ressourcée », mot qui avait fait le tour de la salle des professeurs. Lors de ses propres voyages, il avait toujours été limité par la modestie de leurs moyens, les exigences de la vie familiale et la présence de très jeunes enfants. Laure, voyageant avec son frère et sa belle-sœur, s'était un peu ennuyée tandis que celle-ci comparait sur le Ponte Vecchio le prix des plateaux de bois décorés à la feuille d'or. Dans les musées, elle se sentait vite fatiguée, et elle avait un peu honte de leur préférer les flâneries dans les rues, mais Nicole « avait trop chaud » et Jacques n'obéissait qu'à Nicole, les odeurs douteuses et les hommes en chemise ouverte, le vin blanc aux terrasses (bien qu'il lui donnât mal à la tête).

Tous deux ensemble, c'eût été sans doute différent ; pas d'enfants qui pleurent la nuit ni de compagnons de voyage exigeants avec qui les discussions s'éternisent au moment d'aller au restaurant. De toute manière, la question ne se posa pratiquement pas : et ainsi, ils ne connurent jamais non plus la douceur des routes dans le petit matin, les cyprès entre lesquels une chapelle se dérobe, les fresques délicates à peine pâlies ; ni celle des petits hôtels sur des places, avec toute la nuit le bruit des fontaines, et la sieste derrière les volets clos, dans les après-midi du Sud écrasées de chaleur.

Et, pour finir, le sujet des vacances devint pour

l'un comme pour l'autre un sujet éprouvant : pour Laure qui ne voyait pas approcher sans douleur les périodes de l'année où ils seraient de nouveau séparés, après avoir vainement débattu d'un projet irréalisable et avoir assisté aux excuses maladroites de Pierre et à sa tristesse sincère. Il avait définitivement rangé les vacances dans la catégorie des "corvées familiales" (il usait si facilement de ce mot que Laure avait fini par le prendre en grippe). Quant aux "deux jours par-ci par-là" dont Laure aurait pu bénéficier pendant l'année, Annie parlait souvent d'"en profiter" pour "s'échapper tout seuls", "pour faire un petit tour en Italie ou ailleurs, en Normandie si tu préfères, on peut aller où tu veux". Et puis il survenait quelque motif de ne pas donner suite à un projet qu'Annie abandonnait vite. Rien ne vaut, disait-elle, "trois jours à la maison, je n'ai jamais le temps de rien faire". Ces jours-là, du reste, Pierre ne voyait pas Laure non plus.

Assez longtemps après leur voyage en Italie, Pierre reçut une lettre de Marc. Celui-ci, après avoir parlé de choses et d'autres, glissait pour finir quelques allusions maladroites et qui se voulaient discrètes à "la situation de Pierre" (c'était son mot). « Où en es-tu de cette histoire ? » écrivait-il. « Nous en avons parlé avec Marie-Paule, le mieux serait de tout dire à Annie, si tu veux, nous sommes prêts à t'aider, mais ne gâche pas tout. » Pierre fit à Marc une réponse qui n'était pas celle qu'ils attendaient. « Je crois que je l'aime vraiment, nous ne pouvons pas nous séparer. » « De qui parle-t-il ? dit Marie-Paule avec agacement, c'est insupportable à la fin. De sa

femme ou de cette fille ? Il ne sait pas ce qu'il veut. »
« Il ne sait pas ce qu'il veut », dit Marc en écho,
comme si cette découverte valait d'être répétée.
Marie-Paule continuait : « Je n'ai jamais eu grande
confiance en lui, je t'avouerai, je n'ai jamais bien
compris comment tu... ». « Je sais, coupa Marc,
mais je l'aime bien. » « Moi aussi, dit Marie-Paule,
c'est pour cela que ça m'ennuie de le voir gâcher sa
vie. »

19

Les vacances de Noël les séparèrent donc. Laure
accepta de se rendre au mariage de son cousin Rémi.
« Écoute, ma petite fille, avait dit sa mère au téléphone, tu feras comme tu veux. Mais... » « Mais je
viens », dit Laure. « Tant mieux, dit son père, sans
toi je me serais ennuyé. » « Et ta peinture ? » dit
Laure. « Je ne m'y tiens pas, dit-il, mais ça vient. »
Depuis sa retraite, il passait beaucoup de temps dans
un hangar mal chauffé, qu'il appelait son atelier :
il peignait. Sa mère avait repris le combiné : « Tout
est prêt, on t'a trouvé un cavalier parfait, un jeune
professeur d'anglais, il a même enseigné à Coëtqui-
dan ». « Pour son service militaire », dit de loin la
voix de son père. L'oncle de Laure, comme son
grand-père, qu'elle n'avait pas connu, était un ancien
militaire qui avait quitté l'armée à la fin de la guerre

d'Indochine pour ouvrir un cabinet d'affaires immobilières. Leur maison était son bureau : au rez-de-chaussée, la plus petite pièce servait de salle d'attente ; et le dimanche, pour y déjeuner en famille, on débarrassait l'autre pièce des maquettes de construction Bréguet. La tante de Laure était une personne forte, calme, silencieuse, qui avait vendu les terres paternelles pour acheter l'affaire ; leurs deux premiers fils étaient mariés, le premier travaillait avec son père, le second avait ouvert à Paris une petite librairie en face d'un lycée. « Et Jacques ? » dit Laure. « Il serait étonnant qu'il puisse venir, dit sa mère, en cette période de l'année, ce n'est guère commode pour lui. » Laure sentit dans la voix de sa mère la vieille préférence et le vieil orgueil.

Ils arrivèrent tous à peu près en même temps, un peu avant neuf heures, oncles, cousins, amis, parents de l'un et de l'autre, que Laure connaissait à peine, ou dont elle reconnaissait difficilement les visages vieillis, épaissis, fatigués, comme glissés derrière un voile, et ils n'en finissaient pas de descendre de grosses Renault ou de Citroën puissantes aux carrosseries métallisées. Et ils portaient tous sur le visage un air vaguement endimanché ; les hommes sombres (fatigue, soucis d'argent, route difficile), les femmes fermées, presque hostiles (fatigue aussi, maladie d'un enfant, soucis, disputes dans la voiture, regret d'avoir envoyé un cadeau trop petit, peur de s'être affichées avec un cadeau coûteux). Les femmes avaient sur leurs robes habillées, un peu légères pour la saison, de lourds manteaux de fourrure, et la bride de leurs chaussures vernies faisait un bourrelet rouge sur leur cou-de-pied. Quelques hommes avaient au doigt une chevalière trop grosse et des boutons de manchette

203

bien visibles au bas de leurs manches. Les portes arrière s'étaient ouvertes les premières, libérant des enfants soignés : des petites filles un peu amères, des jeunes garçons aux oreilles soulignées par une coupe de cheveux récente : et tous venaient vers Laure avec un élan, une tendresse, une affection qui la toucha. Prise dans le flot des costumes bleu marine et des robes de crêpe et de mousseline, assaillie par les parfums capiteux de la poudre de riz et de la sueur, Laure se sentit emportée et tendit sans réserve son visage aux baisers de sa famille. « Ah ! voilà la petite Laure », dit jovialement son oncle l'assureur. Des épouses plus récentes ou des cousines éloignées tendaient à Laure une main gênée au bout d'un bras où pendait un sac à main de vernis noir ; ou une joue distante.

Le jeune cousin était militaire, en permission : il avait tenu à se marier en uniforme, ce qui flattait son père. Il avait des gants blancs, des joues roses semées de petits boutons, son cou rasé était irrité sous le menton ; il répandait l'odeur de l'after-shave et d'une légère sueur d'émotion lorsqu'il se pencha pour embrasser Laure. « Tu n'es pas trop mal là-bas ? » dit-elle par convention. (Là-bas c'était son cantonnement près de Metz.) « Oh, très bien ! » dit-il. Pour un temps. L'armée n'était pas ce qu'il y avait de pire, il revenait chez lui chaque fois qu'il le pouvait, mais ''sa fiancée supportait très mal la séparation''. Ils avaient donc décidé de se marier au plus vite. Ils étaient pris, se dit Laure. Pour toujours l'engagement avait été passé : quoi qu'il arrive, il n'accepterait jamais de lui faire du mal. Pour toujours, se dit Laure, le voici devenu sourd à toute autre souffrance. Comme le mâle dans certaines espèces d'oiseaux, pensa-t-elle, attaché à son arbre, à son nid, fermé à tous les autres appels, incapable même de les déchiffrer. « Est-ce que tu la connaissais ? » dit une voix près de Laure. Non, elle ne se souvenait pas d'elle. Quelqu'un vint à son secours : « Mais si, au mariage de Jean-Paul. » Ah, oui, c'était cela. « Et c'est là du reste qu'ils se sont connus. » La foule grossissait, il était temps de se diriger vers la mairie. (Laure ne savait plus lequel de ses neveux, parents, cousins, petits cousins, elle avait déjà embrassé et elle se perdait parmi les costumes lilas, les cravates couleur perle, les blazers bleus, les robes à motifs roses.) De nouvelles masses de fleurs arrivaient. « Au restaurant, au restaurant ! » dit avec autorité le père du marié. « Voyons ! qu'est-ce que j'avais dit ! » Une main saisit le bras de Laure et l'entraîna vers sa voiture. C'était l'aîné de ses cousins, l'associé de son oncle. « Je t'emmène », dit-il. Sa femme monta derrière, et Laure reçut les effluves de son parfum d'héliotrope. Elle avait un visage fermé, un peu dur, de femme maigre, des cheveux teints. Comme les autres, le cousin de Laure avait une chevalière carrée à la main droite, et des poils noirs sur les phalanges. Leurs deux filles étaient parties devant, séparément, l'une avec un jeune homme que la cousine de Laure semblait ne pas aimer beaucoup, l'autre avec les parents de Laure. « J'ai à peine eu le temps de leur dire bonjour », pensa Laure. Son père souriait sous ses opulents cheveux blancs rejetés en arrière, Laure lui trouva le teint rouge. Et sa mère, comme toujours, promenait un regard absent sur l'assistance ; elle ne voulait pas mettre ses lunettes et ne reconnaissait personne. « Tes parents sont formidables, dit le cousin de Laure. Remarque, les miens non plus ils ne vieillissent pas. » On était arrivé, la porte de la mairie s'ouvrit, un mouvement se fit, la voiture du père de la mariée se rangeait. Celle-ci en descendit, petite, brune, menue, posant sa main sur la main de son père qui se penchait avec difficulté. (« Il a un stimulateur cardiaque », dit quelqu'un. « Bien sûr, dit une autre voix, depuis trois ans déjà. ») Le ciel était pâle, le soleil n'allait pas tarder à se montrer. (« Nous avons de la chance, quand on pense au temps qu'il a fait hier. » « Ah bon ? fit une autre voix. Pas chez nous. ») Le militaire avait mis ses gants ; la fiancée s'efforçait de paraître gaie, ses yeux noirs étaient cernés dans son visage tiré. (« Deux mois, chuchota quelqu'un, ça ne se voit pas du tout, pas encore. ») Mais elle avait beaucoup vomi le matin avant de monter en voiture. Laure la regarda, elle espéra pouvoir lui parler au repas. « Elle a fait des études, tu sais », lui soufflait l'aîné de ses cousins. (Quel âge a-t-il ? pensa Laure, quarante, quarante-cinq ans ? Moins peut-être ?) « Elle travaille à la Trésorerie générale. Évidemment, maintenant elle va s'arrêter. » « Pourquoi ? » dit Laure. Il n'y eut pas de réponse. Dans la salle, le silence se fit pour l'entrée du maire. Laure s'assit, regardant devant elle les nuques fatiguées des plus âgés, et une émotion monta en elle, balayant tout, comme une grande vague d'assentiment.

Rémi tournait vers la jeune femme toujours aussi pâle ses yeux rieurs, son menton marqué de petits boutons et ses épaules carrées dans l'uniforme. Elle sourit. « Plus tard, disait une voix derrière Laure, quand ses enfants seront grands, elle pourra retravailler. C'est bien ce que j'ai fait, moi. Une femme s'ennuie, seule, à la maison. »

Laure se sentit vaciller sous le poids de l'évidence et de la convention. Avec quelle conviction tranquille cette phrase avait été prononcée ! Rien ne pouvait l'entamer, devant cela on était sans force. Laure toucha sa tempe, et ressentit une légère douleur dont elle renouvela encore la sensation en la pressant plus fort. Deux jours plus tôt, Pierre était passé la voir dans le début de l'après-midi, ils s'étaient assis côte à côte sur le petit canapé et de là, ils avaient glissé sur le tapis : elle tentait de se relever, Pierre la serra contre lui, sous lui ; sa tête avait heurté le pied de la table. Je l'aime, pensa-t-elle, mais ces mots, ici, étaient sans pouvoir. Elle regarda autour d'elle. Tous ces hommes sains et forts, qui avaient procréé légitimement dans les draps conjugaux, n'avaient-ils pas laissé derrière eux quelqu'un, la femme d'un collègue, une jeune secrétaire, une "dactylo", à laquelle ils pensaient en ce moment avec un mélange de désir et de ressentiment à cause d'une querelle de la veille ? (« Mon beau-frère se marie, je ne pourrai pas venir demain » ; ou : « Le frère de ma femme », « le cousin de Marie-Lou », « la petite sœur de Jean-François », « quelle corvée ».) Et tout à l'heure, ils sortiraient lui téléphoner dans le sous-sol du restaurant, ou dans un café voisin, sous le prétexte d'aller prendre l'air ou chercher des cigarettes. Son cœur se serra. Elle n'avait d'allié nulle part, ni chez ces gros hommes sanguins qui ne ressemblaient pas à Pierre, encore moins auprès de ces jeunes femmes à l'apparence gaie, qu'elle imaginait maintenant vindicatives ou malheureuses, crispées sur une revendication monotone. Finalement, elle ne se sentait proche de personne : sauf peut-être de la plus jeune de ses cousines dont le petit garçon était atteint d'une sorte de maladie du sang. Ils ont raison, tous, pensa Laure. Sauf moi.

« Tu as de jolies chaussures », lui chuchota une de ses petites cousines. Laure lui sourit. Est-ce que c'était son "petit ami", le jeune homme que sa mère trouvait "vulgaire"? Et ces femmes mariées qui laissaient passer sous la poudre parfumée une odeur de chair bien nourrie, avaient-elles des amants? Mais Laure écarta cet ordre de questions qui lui répugnait un peu et, portant de nouveau le regard sur le groupe, elle contempla la puissance qui émane des familles rassemblées. Hommes au cou serré dans une cravate et qui évaluaient déjà combien de temps les séparait du déjeuner; rouges, sexuels, tendus; femmes trop maigres, ou trop fortes, sanglées dans des "gaines" trop bien ajustées; tous nourris de la même nourriture, marqués, après quinze ou vingt ans de mariage, par une indéfinissable ressemblance due à l'imprégnation quotidienne des odeurs de ménage, à la sueur des lits partagés, du linge de bain. Son regard s'attarda surtout sur les jeunes femmes au teint rose, sur leur corps rond, leur chair saturée de semence masculine. De beaux enfants montraient dans l'ouverture de leur col, au pli de leur genou, la belle qualité d'une substance que ces corps solides avaient façonnée et, aux paupières, aux tempes, une douceur bleutée, attendrissante. Là était la vraie voie, pensa-t-elle une seconde fois, le vrai chemin. Derrière Laure, quelques vieux parents dont elle ne savait pas toujours le nom, sombraient déjà dans l'attente béate du repas. Tous supputaient le menu, se remémoraient pareilles fêtes, leur propre mariage, avec une émotion véritable et un peu de convention. Les bouquets sentaient fort. Le maire, un vieil ami du père de

Rémi, embrassait les mariés une seconde fois ; Laure rejoignit le groupe qui félicitait les jeunes gens. Elle avait chaud, son front lui faisait mal. Son cavalier l'avait rejointe ; elle le salua d'un sourire. Pendant ce temps, Rémi avait relevé le voile de la mariée et l'embrassait avec une sorte d'application sans tendresse, comme une mécanique bien rodée, des mouvements trop amples du menton et des joues, auxquels celle-ci répondait pareillement, comme s'ils avaient voulu donner tous deux une confirmation publique de leur capacité amoureuse, dont maintenant ils avaient reçu la sanction légitime. On avait presque envie d'applaudir, pensa Laure. Deux vieux oncles d'ailleurs avaient levé leurs mains tavelées et les battaient gentiment l'une contre l'autre en les regardant.

Cet épisode se renouvela plusieurs fois durant le repas, à des moments qui semblaient attendus, et comme prévus selon une scénographie archaïque. Méthodiquement, à intervalles réguliers, ils s'arrêtaient de manger ; Rémi regardait sa femme presque durement et, se penchant vers elle, il lui dévorait la bouche et le menton d'un long baiser qui agitait consciencieusement les muscles de sa face et de son cou, et qui ressemblait à un exercice difficile et passablement ennuyeux. Puis ils se séparaient lentement sans se quitter des yeux, le tour de la bouche un peu rouge. Sans se lâcher la main, ils reprenaient un peu de rémoulade. Le jeune professeur d'anglais s'efforçait pendant ce temps de maintenir la conversation avec Laure à propos des livres de Rolfe, baron Corvo, sur les traces de qui il avait cet été-là fait un voyage à Venise. Le frère de la mariée le regardait avec une antipathie visible. Il enseignait, lui, l'anglais commercial depuis deux ans, il faisait de fréquents voyages au Texas. « Je ne lis jamais de romans, disait-il, la vie c'est autre chose. » Le ''cavalier'' de Laure la regarda avec un air de détresse : il avait un anneau d'or au doigt, une courte moustache et un pull-over sage, des mains fines. Laure se sentit de la sympathie pour lui. Des rires s'élevaient, on portait des toasts, on applaudissait : de nouveau, les mariés s'embrassaient. C'était le rite, que tous saluaient, levant leur verre, s'émerveillant de la durée du baiser, comptant les secondes. Laure baissa les yeux sur sa croustade de champignons. « Ça fait plaisir à voir, n'est-ce pas ? disait son cousin. Mais, ajoutait-il d'un air fin, il n'y a pas besoin pour cela de M. le maire. » Il ferma les yeux comme sous le poids d'une vision intérieure et poussa un gros soupir. Puis il vida son verre et, comme il se penchait vers Laure pour lui parler plus bas, elle sentit son odeur de mâle ; un mélange de crème à raser, de linge repassé, de sueur échauffée par le bon vin et les nourritures généreuses. Il regardait le cavalier de Laure du coin de l'œil : « Celui-là, je ne te le conseille pas, tu m'as compris. » Et, plus fort, glissant un bras sur la chaise de sa femme : « Mais le mariage, il n'y a que ça, n'est-ce pas, ma bichette ? » « Je ne sais pas de quoi tu parles », dit-elle. Il continua, pour Laure : « Je ne sais pas comment je pourrais m'endormir le soir si je n'avais pas ma petite femme près de moi. Elle n'a qu'un défaut : elle ronfle. » Sous ses cheveux blonds bien coiffés, sa femme avait rougi : « Mais ce n'est pas vrai. » Il se pencha vers elle et lui baisa le cou : « Allez, ma biche, je plaisantais. »

Le regard de Laure passa sur les têtes rapprochées, les visages rougis, les bouches en mouvement, monta le long des murs décorés d'un affreux papier peint, puis elle imagina au-dessus d'eux le toit plat du restaurant et encore au-dessus le toit incolore des nuages qui les recouvrait tous ; plus haut, encore plus haut, sans doute le soleil brillait-il sur tout le champ d'un azur illimité. Puis son regard redescendit vers la salle à manger bruyante, que les enfants commençaient à quitter : un carré de lumière douce venait du dehors, de la cour où les plus jeunes criaient et tournaient en rond. Un chien jappait. Laure porta de nouveau les yeux sur ses voisins. Que de baisers, que de chairs en contact, que de légitimité exposée ! La mère de la mariée s'était levée et elle aidait sa fille à dégrafer dans son dos la robe puis à détacher son voile. Rémi se penchait. « Eh, les jeunes, cria quelqu'un, un peu de patience ! » Rémi, sans se redresser, retirait entre deux doigts une miette de gâteau restée sur la lèvre de la jeune femme. Maintenant, des photographies circulaient, qu'on prenait entre deux doigts pour ne pas les tacher ; on en appelait au jugement de ses voisins. Laure écoutait : « Déjà cinq ans ? Mais c'est le fils de Louise ! » Ou encore : « Ils ont fait construire. Comme ils sont bien installés ! » Au loin, son père lui souriait ; il était un peu rouge. Les enfants jouaient entre les voitures du parking, le jour commençait à baisser. Et vers les collines, par-delà le rideau d'arbres, un vol d'oiseaux passa. Le libraire avait l'air soucieux, il tentait depuis un moment d'attirer l'attention de Laure. Son frère lui vint en aide : « Il a quelque chose à te dire, souffla-t-il à Laure, vous êtes dans les bouquins tous les deux, c'est vrai. » Mais sa voix fut couverte par celle de l'oncle de Laure : « Enfin une autre fille, disait-il, j'en avais déjà deux (se tournant aimablement vers ses belles-filles), et, ajoutait-il d'un air gracieux, bientôt un nouveau petit-fils ou une petite-fille ? Ça ne sera jamais que le cinquième. » (Enchaînés, pensait Laure, ils ne se quitteront plus. Quand nous allons nous séparer tout à l'heure, les familles vont se refaire, et les enfants dormiront dans la voiture. Après-demain, c'est Noël.) « Et pour Noël, qu'est-ce que tu fais ? » disait son cousin. « Je ne sais pas », dit-elle. (On déballera les cadeaux, des grille-pain dans du papier rouge, un baromètre pour l'entrée, des colliers de vraies perles pour les épouses les plus riches. Sa cousine avait au poignet un coûteux bracelet qui bougeait à chacun de ses mouvements.) Déjà une musique forte et simple venait de la pièce voisine. « On y va ? » disait son cousin, et il entraîna Laure, que son ''cavalier'' n'avait pas l'air pressé de rejoindre. Toutes les images d'un bonheur facile paraissaient à Laure accessibles, évidentes. Un rire montait, un des vieux oncles avait demandé le silence et racontait une histoire. Laure passa tout près de deux couples de petites filles qui dansaient sagement ; le plus jeune de ses petits cousins s'était assis dans un coin, il avait ouvert un livre. Laure regarda longuement les délicates paupières ambrées de l'enfant qui s'en aperçut et lui sourit. Serrée fort dans les bras de son cousin, elle commençait à danser. Elle avait envie de pleurer ; elle s'appuya contre son épaule et regarda les petites gouttes de sueur parfumée qui perlaient contre le cou robuste.

20

En janvier, lorsqu'ils se revirent, Pierre n'interrogea pas Laure, sauf sous la forme d'un bref « C'était comment ce mariage ? » qui ne demandait pas de réponse. D'ordinaire, elle se félicitait plutôt des questions de son amant, ou le pressait de sortir de son "indifférence" envers "sa vie à elle". Pourtant, Pierre parut étonné qu'elle ne répondît pas. « Tu es fâchée ? dit-il. Tu m'en veux ? » « Mais non », dit Laure. Pierre ne répliqua rien ; il avait enlevé sa veste et Laure posa sa tête contre son épaule, forte et chaude à travers sa chemise. Cependant, leurs retrouvailles ne furent pas tout à fait aussi bonnes qu'elles auraient pu l'être et qu'elles l'étaient d'ordinaire après deux semaines de séparation ; ils se quittèrent fatigués, défiants, déconcertés.

Il était inutile de se le dissimuler : depuis le début

de décembre, déjà, une lassitude leur était venue. Le ciel était froid, couvert, monotone : une étendue plate et sans contours, telle était l'image du temps à venir. Et la chute précoce du jour achevait, chaque fois, de les assombrir. Pierre restait un peu plus longtemps avec Laure le mardi et le jeudi, qui étaient les jours les plus chargés d'Annie à la banque. (Quelquefois, aussi, il venait déjeuner avec elle le vendredi avant ses cours, et avant que Laure reparte pour la bibliothèque.) Mais Pierre n'aimait désormais plus rentrer chez lui trop tard, la nuit tombée, trouver la petite déjà couchée et Bruno devant la télévision. Pierre aurait voulu être avec eux pour leur goûter, leur dîner ; couper du bois, préparer la cheminée, boire un verre devant le feu en attendant le retour d'Annie. Quand il rentrait, il était fatigué, souvent de mauvaise humeur ; les enfants le voyaient bien, mais ils ne disaient rien. Il y avait des silences à table. Quand plus tard il se retrouvait seul à son bureau, il avait mal à la tête, et pourtant ne voulait pas aller se coucher ; il ouvrait un livre, s'asseyait à sa table, somnolent. Annie venait le chercher : « Qu'est-ce que tu fais ? Viens donc dormir. » Il se levait et la suivait dans leur chambre. Une fois ou deux, il s'endormit devant la télévision et se réveilla tout honteux. Le lendemain, il allait mieux ; puis tout recommençait. Il allait voir Laure à quatre heures, la quittait à six heures et demie, fâchée qu'il parte si tôt alors qu'il était déjà trop tard pour lui, pour avoir ''un peu de temps à lui''. Annie était déjà là, elle retirait ses bottes mouillées : « As-tu pensé au pain ? » disait-elle. Tant pis, une fois de plus ils mangeraient des biscottes.

Aussi avait-il accepté sans difficulté, et même

avec soulagement, les obstacles qui avaient surgi devant la perspective de "dégager quelques jours" pour "un petit voyage" avec Laure et la décision de celle-ci d'assister au mariage de son cousin. Les vacances commençaient le 21, Pierre resta toute la journée à la maison le 22, seul. Il écouta de la musique, mais l'arrêta vite, puis il alluma le poste de télévision et, de la cuisine, sans voir l'écran (comme une ménagère, pensa-t-il, comme une femme au foyer), il écouta les émissions tout en faisant une mousse au chocolat (« La seule chose qu'il sache faire ! » disait Annie en riant. « Oh, mais il la fait très bien ! » « Et les œufs à la coque ? » rétorquait Pierre. Il y avait bien dix ans qu'il n'en avait pas fait.) Tout en rinçant le bol dans l'évier, il regardait le jardin. Le vent se jetait en mouvements intermittents dans les courts buissons dénudés par l'hiver. Les enfants étaient rentrés et se chamaillaient sur le canapé. Une ou deux fois, il pensa à Laure, et bizarrement à une promenade à deux sur les boulevards devant des terrasses illuminées.

Noël le rassura, le calma, lui communiqua un peu de sa douceur mélancolique. Laure était partie. Il acheta un sapin et repoussa le canapé pour lui faire de la place. Chaque soir de la semaine il fallut allumer la guirlande. « Mais non, disait Annie, pas les bougies, c'est trop tôt. » La mère de Pierre se fit prier ; elle était si bien à B,. mais "d'un autre côté", passer Noël sans "les petits" ? Elle accepta de venir deux jours ; mais elle était triste, toujours vêtue de noir et refusait de se faire servir par la jeune fille qui venait chaque jour aider au ménage. Au dîner du réveillon, ils étaient neuf : deux collègues d'Annie et deux de Pierre. Vers dix heures, la mère de Pierre se retira, mais les enfants restèrent : "encore un peu !". Pierre avait senti renaître en lui quelque chose de ce qu'il éprouvait autrefois, il y a dix ans, même plus, lorsqu'ils se réunissaient à quelques couples du même âge. Mais quand ce sentiment s'effaça, Pierre s'efforça en vain de le faire renaître. Il allait et venait, parlait un peu trop, un peu trop fort ; il avait ouvert les huîtres, acheté les meilleurs vins. Annie portait une jolie robe noire sans autre bijou qu'une pierre dure en pendentif que Pierre lui avait offerte, justement, à Florence. L'un des collègues d'Annie avait ouvert son gilet sur une chemise de nylon beige, et fit rire tout le monde en racontant une mésaventure de vacances, une affaire de douanes et de fausses déclarations. « Au bout du compte, je les ai tout de même eus », dit-il. Pierre se levait pour porter un toast quand sa mère fit mine d'aller se coucher : « Reste encore un peu, maman. » Mais elle ne voulut rien entendre. Les enfants lui dirent bonsoir avec chaleur, pressentant les cadeaux du lendemain.

Au réveil, Pierre éprouva un peu de honte, un vague dégoût en retrouvant la salle à manger telle qu'ils l'avaient laissée quelques heures plus tôt. Il tenta de le chasser ; la vue de ses enfants en chemise de nuit près des paquets défaits l'aida. « N'ouvrez pas tout de suite, dit-il. Attendez maman et grand-mère. » Il était à peine huit heures. « Mais j'ai déjà ouvert mon paquet », dit la petite. « Au lit, dit-il, tant pis, et ne fais pas de bruit, maman dort. » Pierre retourna se glisser dans le lit contre elle et, l'ayant retournée sans douceur, il la prit violemment. Elle gémit. « J'ai sommeil. » Il s'efforçait en vain. Finalement, il se rejeta sur le dos et se rendormit. A midi ils déjeunèrent des restes, au milieu des paquets

216

défaits, dans le sifflement du robot, les cris de Françoise effrayée, et Bruno faillit se couper avec le nouveau couteau électrique qu'on lui avait pourtant interdit de toucher.

Toute la semaine Pierre se retrouva seul, comme au mois d'août, mais le mauvais temps brouillait le jardin ; il attendait la venue des parents d'Annie et laissait fermés ses petits carnets. Il se sentait malheureux, déçu, bafoué. Laure allait rentrer, et il ne savait si cette idée le réconfortait ou si elle ramenait la vue triste des jours difficiles. Les parents d'Annie finalement ne vinrent pas. Il resta avec les enfants : eux, au moins, ne le décevaient pas. Il fit des découpages avec la petite, jeta dans l'eau avec elle des papiers japonais qui s'ouvraient en fleurs ; acheta pour tous deux des patins à glace et suivit leurs progrès avec patience, choisit des disques pour le petit électrophone de leur chambre et commença de monter avec son fils une maquette d'avion, sursautant aux brusques allers et retours du robot dans la salle à manger qui émettait un sifflement suraigu à chaque obstacle rencontré. Il semblait à Pierre qu'il avait tout manqué, tout négligé, qu'il n'avait rien vu. Il regardait leurs cahiers ; il fallait qu'il s'intéresse aux études, au travail, à la croissance de ses enfants. Il les interrompait pour regarder leurs dents, leurs cheveux, les mesura deux fois, au chambranle de la porte. « Mais maman l'a déjà fait », dit Bruno. Maman ? Il se sentait bien avec eux, justifié, en paix. Il n'avait rien à expliquer ; il était là ; ils l'aimaient. Ils n'avaient jamais douté de lui ; il avait pu être avec eux distant, négligent, grognon : tout était pardonné. Sa vie s'éclaira. S'appuyant sur l'épaule de Bruno, il lui montra comment on utilise un sextant, une

217

boussole : ils regardaient les oiseaux passant sur les terres froides, et il fit des photographies. « Tu es costaud, toi », dit-il un jour à son fils, en serrant la petite épaule robuste. « Pas tant que toi, papa », dit l'enfant. Et en plus ils étaient fiers de lui ? Pierre était éperdu de confusion et de reconnaissance. Il y avait cela, cela, tout près, et il avait failli ne pas le voir. Françoise se mettait au piano, Pierre suivait amoureusement ses petits essais et regardait bouger dans son dos sa natte de cheveux. Plus d'une fois, Pierre dut la resserrer, remettre le ruban. Il apprit même à la coiffer.

Après le mariage de son cousin, Laure attendit, chez ses parents la venue de son frère et de ses neveux. Elle se levait tard, et même un matin ne se leva pas du tout. Son père frappa vers dix heures : « Tu veux ton petit déjeuner ? » Il le lui monta. Il avait posé sur le plateau un pot de confiture trop lourd et un peu de café coula. « Je vais le nettoyer, dit-il, ta mère me gronderait. » Et il revint frotter malhabilement la tache du drap avec un gant de toilette mouillé. « Laisse, papa », dit Laure. La vue de ses mains ridées, blanches, l'émut. « Laisse, papa », dit-elle encore. Le chat montait dormir sur son lit, elle lut *Les grandes espérances*. Le soir du 30 (ils avaient passé Noël chez les parents de Nicole), la "petite famille" débarquait. Laure leur laissa sa chambre, non sans regret, et prit le canapé-lit de la salle à manger. Les deux enfants dormirent en haut dans une sorte de grenier, confortable et mansardé, où on avait mis des lits pour eux. Laure était heureuse tout de même et pleine de bonne volonté, elle aida sa mère à préparer le réveillon. Du reste, elle était toujours plus sollicitée que Nicole, "qui avait le droit de se

218

reposer" et "ne savait pas où étaient les choses"; prépara de jolis paquets pour tout le monde, et se prêta gentiment aux plaisanteries de son frère durant le réveillon. Sur les photos prises au flash par celui-ci, elle apparaît le visage gai entre ses parents qu'elle tient par le cou, ou bien serre dans ses bras le plus petit qui pose sur sa joue des lèvres cernées par le chocolat de la bûche. En les revoyant, elle retrouva le contact de ces petites lèvres tendres, qui lui toucha le cœur.

Elle rentra à R., après avoir eu quelques conversations avec Nicole, qui "n'avait qu'elle" pour certaines sortes de confidences, se plaignait un peu de Jacques, qui "ne pensait qu'à son travail". Il n'y avait rien de Pierre, ni carte, ni message. Eh bien, tant pis, c'était comme ça. Mais elle fondit en larmes lorsque deux jours plus tard seulement, elle entendit sa voix au téléphone. Un grand soulagement s'emparait d'elle; une certitude aussi : il était là, il ne l'avait pas abandonnée. « Tu ne m'as pas abandonnée », dit-elle. Il prit cela pour une question. Son cœur se dilata : « Ma douce ! Je t'aime tellement ! Je suis là, voyons, tu le sais, je suis là. » Ces mots réconfortèrent Laure malgré la curieuse contradiction qu'ils recélaient : il y avait tout de même quinze jours qu'ils ne s'étaient pas vus.

Ils se revirent; le temps reprit son cours, et une espèce de monotonie reparut. Cette impression ne les quittait pas; ils n'en disaient rien, mais elle était là, jusque dans leur sommeil, dans leur visage soucieux, préoccupé. A l'entrée de la salle des professeurs, un de ses collègues arrêta Pierre. Il "n'avait pas l'air dans son assiette". « Est-ce que ça va ? » dit le jeune homme, un agrégé de mathématiques que

Pierre aimait bien. (Il avait toujours préféré les "scientifiques" aux littéraires — surtout les femmes, qu'il trouvait "prétentieuses", "compliquées", "bas-bleu".) Pierre en fut étonné. Sans doute il n'allait pas bien. Mais que dire ? Comment en parler, même à ce jeune type sympathique et ouvert, mais qui n'était pas son ami ? D'ailleurs, pensa Pierre, est-ce que j'ai des amis ? Il était bien obligé de répondre que non. Comment était-ce possible ? Comment cela s'était-il fait ? Est-ce qu'on pouvait vivre sans ami ? Il devait s'avouer que, même adolescent, il n'avait jamais eu que des camarades, dont l'entretien ou la présence passaient toujours après un rendez-vous avec une fille, une femme ; puis ce temps-là lui-même était clos et maintenant il n'y avait plus rien. « Mais j'ai Laure, pensa-t-il, nous sommes aussi de vrais amis. » Cependant, cette amitié-là ne pouvait lui être d'aucun secours si leur "entente" s'affaiblissait : elles disparaîtraient ensemble.

Pour le reste de la vie, il s'était habitué à n'échanger avec ses collègues de travail que des propos de convention, des plaisanteries faciles, des jeux de mots : sauf avec ce jeune prof, il n'était jamais allé avec aucun d'entre eux prendre un café en sortant du lycée (par exemple). On se tutoyait, on savait tout de l'autre (ses difficultés conjugales, son addiction au tabac, un cancer en rémission). Mais on ne parlait jamais de rien. Ils étaient tous habitués les uns et les autres à une dissimulation si profonde de leur vie personnelle qu'une confidence les eût jetés dans l'embarras. Du reste, en cette matière, quelle confidence leur faire ? Parfois, la nouvelle se répandait qu'un tel "n'était pas très bien", qu'il n'était pas venu faire son cours, on avait réparti ses élèves entre plusieurs classes ; consultés, le censeur et le proviseur répondaient avec une gravité évasive. On se rendait une ou deux fois à l'hôpital, à son retour on accueillait le collègue avec de grands sourires et de fortes poignées de main et on commentait derrière lui sa mine, son visage amaigri. « Vous avez vu sa nuque ? De dos, il fait peur. » Mais lui ? Que pourrait-il leur dire ? « Non, dit-il au jeune homme, ça va. » Rares étaient ceux qui abordaient crûment les questions intimes, les situations du genre de celle de Pierre : ''on s'était fourré dans de mauvais draps'', tel était le mot.

Un après-midi de la semaine suivante (un lundi), il décida de téléphoner à Lautier. Celui-ci avait pris sa retraite il y avait près de dix ans, Pierre l'apercevait de temps en temps, en ville, au marché. On disait qu'il s'était mis à boire depuis qu'il était veuf ; en tout cas, il n'avait pas l'air très soigné. Personne ne répondit et Pierre reprit un paquet de copies.

Il cherchait à se souvenir. La dernière fois qu'il avait vu Lautier, c'était au printemps dernier (non, l'année d'avant). Et il ne lui avait même pas envoyé de carte pour le nouvel an. C'était sur le marché de la place Saint-Georges, Pierre avait laissé Annie avec la petite pour aller déposer dans le coffre de la voiture un premier panier de légumes. De loin, il l'avait reconnu, un grand sac de moleskine noire à la main, penché sur son porte-monnaie ouvert. Pierre eut un léger coup au cœur : est-ce qu'il n'était pas en pantoufles ? Oui, Lautier avait des pantoufles aux pieds et, de près, un pantalon très taché. Bizarrement :

« Après tout, il ne pleut pas », pensa Pierre. Lautier
s'était retourné et l'avait reconnu : « Seguin ! Cela
me fait plaisir de vous voir. » Il reposa les pommes
qu'il était en train de choisir, et regarda la petite fille
qui avait rejoint Pierre. « C'est votre petite fille ? »
« Bonjour, Monsieur Lautier », dit Pierre. « Mon
Dieu, Seguin, dit-il, me rappellerez-vous toujours
cruellement que j'ai été votre professeur, il y a des
lustres ? » « Vous allez bien ? » dit Pierre, et tout
en parlant, il regardait le visage affaissé, les joues
blanches striées de veinules rouges et les yeux trop
clairs, délavés. Lautier leva une épaule avec fata-
lisme : « Ne parlons pas de ça. Mais oui, mais oui. »
Et il fit rouler les pommes dans son sac. « Je ne vous
ai pas téléphoné depuis... » dit Pierre et il s'arrêta.
« Cela ne fait rien, coupa Lautier, je sais ce que c'est.
Et votre petite lettre m'a fait plaisir. » (Ma lettre !
Et qui remontait à quand ? Pierre avait le cœur serré.)
Lautier continuait : « ... surtout l'allusion à 58 ! Je
dois dire ! C'était mes dernières années, mais dans
toute ma carrière, je n'avais jamais eu de classe
comme celle-là. » « Pas grâce à moi, en tout cas,
dit Pierre, j'étais nul en thème latin. »

Annie montrait à Pierre ses sacs trop lourds
qu'elle soulevait avec une exaspération discrète. « Va
voir maman, dit Pierre, dis-lui que j'arrive tout de
suite. » Lautier s'était retourné et il saluait dans le
vague avec courtoisie. « Je vous retarde ? » « Non,
non », dit Pierre. Lautier se pencha vers la petite
et lui caressa la joue : « Vous avez d'autres enfants,
je crois ? » « Oui, un garçon. » « En tout cas, dit
Lautier, quelle classe ! Malgré le latin, je vous
l'accorde, c'était votre point faible. Mais venez donc
me voir un de ces jours. » « Sûr, dit Pierre, je n'y

222

manquerai pas. » Il lui serra la main. « Ah, dit Lautier, appelez-moi tout de même le matin ou la veille, il m'arrive de faire un petit tour. » « Cela va de soi », dit Pierre ; il le regarda tendre la main vers le garçon qui lui rendait sa monnaie : « 14,50 ? Ah ? Pardon, je n'avais pas bien entendu. » Son bras droit tremblait légèrement. Pierre le regarda encore une fois, de dos, vraiment il avait l'air miteux, pensa-t-il.

Pierre essaya de nouveau d'appeler Lautier en fin de soirée. Il avait laissé ses copies et relu ses carnets avec découragement ; la brume d'hiver était descendue, précédant la nuit ; rien ne lui serait épargné. Il se leva, passa dans la salle de bains se laver les mains (depuis quelque temps il n'arrêtait pas de le faire), se donna un coup de peigne, est-ce qu'il ne commençait pas à perdre ses cheveux ? En tout cas, à chaque fois il en restait un peu plus dans le peigne. Il retourna à sa table. A sept heures, quand il rappela, Lautier était rentré, mais Pierre l'entendait mal. Bruno avait mis de la musique dans la chambre des enfants et laissé, comme d'habitude, la porte ouverte. « La porte, Bruno, bon Dieu ! » cria-t-il, puis : « Pardon, Monsieur Lautier, je ne vous entends pas, les gosses font un boucan infernal. » « Venez demain vers deux heures, disons trois. Je vous ai laissé sonner, j'étais sur mon balcon, je retirais les géraniums, il va sûrement neiger. Allô ? » reprit sa voix vieillie, mais toujours impérieuse. « Décidément, je ne vous entends pas bien, dit Pierre, il faut que j'aille faire cesser ce chahut. » Il raccrocha et partit furieux vers la chambre. Mais en route, il s'arrêta. Il songeait à Lautier. Passant la tête par la porte, il regarda l'enfant. Celui-ci s'était levé et bondissait sur l'électrophone avec un air coupable. « Oui, papa, j'arrête, j'arrête. » « Laisse, dit Pierre, ça ne fait rien, de toute façon je ne travaille pas. »

21

On était en octobre 1959, Pierre allait avoir dix-neuf ans, et il marchait dans la cour du lycée avec Lautier. « Vous allez préparer le concours, n'est-ce pas, Seguin ? Vous n'allez pas faire la même sottise que moi ? » « Je ne sais pas, dit Pierre, je ne crois pas. » « Vos parents ? Vous n'êtes pas boursier ? Quel dommage que nous n'ayons jamais pu ouvrir une khâgne. Il est vrai qu'elle n'aurait jamais eu le renom ni le succès des grandes khâgnes de Paris. » « Non, dit Pierre, c'est que je vais me marier. » « Ah », dit simplement Lautier. Il y eut un peu de silence : « Et alors, reprit Lautier, et alors ? » « Ma femme, enfin ma future femme, a trouvé quelque chose dans une banque. » « Ici ? » « Non. » « Je vois », dit Lautier et, de nouveau, après un court silence : « Et vous avez quel âge, Seguin ? » « Vingt ans, enfin pas tout à fait. » « Vingt ans ! Enfin, faites comme vous voudrez, mais à tout le moins passez votre agrégation… » Pierre ne dit rien. « Ah, c'est l'heure », dit Lautier. « Nous allons retrouver notre cher Gide. » Lautier tourna vers les fenêtres de la classe son visage trop rouge où brillaient de petits yeux noirs. A cette époque, il se vêtait avec élégance (enfin, aux yeux de Pierre), sortait ses livres des profondes poches un peu déformées de ses vestes de tweed. Pierre admirait Lautier, qui avait tout lu, et qui "savait tout", bien qu'il n'eût pas voyagé. « Toute ma carrière, » disait alors Lautier comme maintenant, sur un ton de satisfaction légitime, « j'ai pensé que… » Sa carrière, pensa Pierre, maintenant qu'il est à la retraite, veuf, et probablement alcoolique… Y avait-il un seul d'entre eux, aujourd'hui, qui aurait osé prononcer ce mot, sinon avec un sourire de dérision ? Pour eux, pour Pierre et tous les autres, ce mot n'avait plus qu'un sens administratif. Le temps n'était plus où il désignait chez des hommes comme Lautier — malgré ses chaussettes dans des sandales qui, l'été, déparaient un peu la fameuse "élégance de Lautier", et ses bérets par grand froid — une espèce de destin : la confusion d'une vie et d'un projet, une chose qu'on n'a pas choisie, mais qui est vraiment vôtre. Moi, je n'ai pas de destin, pensait Pierre, j'ai une existence, et je n'en fais rien.

Ce jour-là, pensa-t-il encore, Lautier nous avait fait un cours sur la proposition infinitive chez Gide, j'en suis presque sûr. Mais il faudrait que je demande à Jean H… Quel dommage que nous ne nous voyions plus. Ou bien était-ce un autre jour ? Et Pierre se souvenait des lèvres rouges de Lautier détaillant les termes de son exposé avec une précision d'archéologue, la satisfaction d'un savant qui a découvert une espèce disparue ou, dans un squelette, un os rendu inutile par le cours de l'évolution. Ses cheveux étaient blancs, mais ses sourcils encore très noirs, son visage rouge. Il buvait sans doute déjà, pensa Pierre. Mais après tout, il avait de bonnes raisons pour cela.

Pierre fit à pied le chemin qui le séparait du quartier de la ville où Lautier avait toujours vécu. C'était le plus ancien : entre de belles esplanades pavées et herbues, des maisons avaient gardé leurs portes cochères et d'autres avaient été construites : maisons tristes à plusieurs étages, bâties vers 1920, comme celle où habitait Lautier. Le vrai froid était venu, Pierre se sentait bien et il bougeait les joues pour ramener le sang dans son visage engourdi ; puis il remonta son écharpe devant sa bouche et bientôt elle s'imprégna d'une légère buée d'humidité qui sentait la laine. Quelques années plus tôt, il retrouvait Lautier dans un des cafés du centre, à l'heure où ils ne sont guère fréquentés que par des couples qui parlent bas et des adolescents qui attendent la fin de l'après-midi. Lautier, à la Boule d'or, se mettait à la table du fond, sous le grand ovale peint, devant une glace mouchetée. Quand Pierre arrivait, il vidait son verre de rosé et en demandait un autre aussitôt : « Vous prenez aussi un verre de rosé, n'est-ce pas ? » L'année d'après, on fit sauter toute la façade pour ouvrir une terrasse, on installa un faux plafond, et la porte à tambour disparut. Puis les lycéens s'annexèrent l'endroit, qu'ils remplirent de leurs conversations intenses, de leurs rires (à part les salles du fond qu'on laissait aux couples qui "avaient quelque chose à se dire'') et de leurs musiques violentes. Lautier posait ses lunettes sur son livre : « Ce sont mes lunettes de lecture » disait-il, et il en prenait une autre paire dans sa poche de poitrine. Il n'avait jamais pu s'habituer, disait-il, ''aux verres à double foyer'' qui ''donnent mauvaise mine'' et l'''air vieux''. Par la suite, ils s'étaient vus une ou deux fois dans le petit appartement de Lautier où celui-ci, pendant vingt ans, avait soigné sa femme malade et que, devenu veuf, il avait conservé. Pendant vingt ans, dans le petit appartement, il avait été son infirmière et son garde-malade, dormant deux heures, souvent dans un fauteuil près d'elle, la lavant, l'habillant tant qu'elle put encore se lever, puis la nourrissant à la cuiller et vivant comme elle voulait vivre : dans le noir. Sa maladie avait progressé régulièrement ; vers la fin, elle ne bougeait plus, remuait seulement les yeux, et tous ceux qui les connaissaient s'émerveillaient qu'ils se comprennent si bien. Mais Lautier ne pouvait recevoir personne ni même écouter la radio ; elle ne supportait plus aucune présence étrangère, pas même celle de la femme de ménage. Lautier ne sortait que pour faire ses cours, passer à la bibliothèque et rapporter quelque chose pour leurs repas.

Par la fenêtre, Lautier regardait la rue où brillait un soleil vif et froid. Pierre avait levé la tête. « L'on ne peut avoir l'âme grande ou l'esprit un peu pénétrant sans quelque passion pour les lettres. » Pierre se souvenait que Lautier aimait à citer cette phrase. Comment avait-elle vécu, dans la rue Sainte-Croix, cette âme grande, avec son esprit pénétrant et son amour des lettres ? (On entend les oiseaux pépier dans la cour ; les grands marronniers remuent ;

228

Lautier parle d'une voix égale ; une douce torpeur a saisi Pierre et ses camarades. « Pelletier ! dit la voix de Lautier. Je vous écoute ! » Mais Pelletier s'est endormi. Tous rient. Ah oui ! C'est une phrase de Vauvenargues. Lautier lève les bras au ciel, puis il reprend son cours.)

La maison avait trois étages, de briques, avec des balcons sur le devant (ceux où Lautier cultivait ses géraniums) et, tout en haut, de larges appuis de zinc sur le rebord des fenêtres mansardées. Comme il s'apprêtait à traverser la rue, Pierre vit que Lautier lui faisait signe. (Est-ce qu'il me guettait ? pensa-t-il.) Ils se rencontrèrent dans l'escalier : « Je ne vous guettais pas, dit Lautier, mais tout à fait par hasard, je vous ai vu arriver. » Ils remontèrent ensemble lentement le dernier étage, la porte était restée ouverte : « Psitt, fit Lautier, ne sors pas ! » Un gros chat gris, l'air apeuré, fit demi-tour en voyant arriver Pierre. « Il veut toujours descendre, dit Lautier, s'échapper, que sais-je encore ! Un vieux chat comme ça. Il ferait mieux de s'y résoudre. Mais il ne s'y résout pas. » Par endroits, l'escalier s'éclairait de baies bordées de carreaux colorés. Pierre avait oublié combien les pièces étaient étroites, les murs vieux, le plafond jauni. « Par ici, dit Lautier, en fermant vivement une porte. C'est vous dire, en vingt ans ! que des travaux seraient nécessaires (Pierre n'avait pas entendu le début de sa phrase) mais ce sera pour mon successeur. » La pièce principale était à peine plus grande, le chat sauta sur la table ronde placée en son centre et surchargée de livres ; un peu de soleil était venu se poser sur un reste de fromage et de pain et sur des oranges disposées dans un joli compotier qu'on avait maladroitement recollé. Pierre souleva un livre, c'était un des deux volumes du journal de Gide. « Oui, dit Lautier, figurez-vous, je me suis mis à le relire pour la énième fois. Il y a encore des choses qui m'arrêtent, je dirais même qui m'agacent, mais quel ton, quelle justesse de ton ! Vous devriez relire ça, Seguin. Vraiment un maître, un maître de la prose française. » Il s'était assis en face de Pierre et celui-ci vit qu'il avait toujours des pantoufles aux pieds. Son visage était pâle mais souriant. « Et de la proposition infinitive », dit Pierre. Le visage de Lautier s'éclaira : « Vous vous rappelez ? Mais qui oserait encore aujourd'hui faire un cours là-dessus ? Pourquoi ? Parce qu'on aurait peur d'ennuyer ces jeunes gens ! Est-ce que je vous ennuyais, moi ? » Sans attendre la réponse de Pierre, il était dans la cuisine et il revint tenant deux verres et, dans l'autre main, une bouteille déjà entamée, qu'il posa sans douceur. Le chat ouvrit les yeux : « Je t'ai fait peur, Oscar ? » dit-il. Pierre sourit. « Voyons, dit Lautier, franchement, est-ce que j'étais un tyran ? » « Non », dit Pierre. Mais une fois encore Lautier n'écouta pas sa réponse. « Je ne vous demandais pas votre avis, c'est un fait, mais c'est ça un maître ! Quelqu'un qui ne doit pas chercher à plaire. » Il s'assit et remplit les deux verres, tendit l'un d'eux à Pierre, et but une gorgée. « Vous auriez peut-être préféré autre chose ? » « Non, dit Pierre, ça va. » « Voyez-vous, dit Lautier, j'ai une petite-nièce à Alençon, ils m'ont invité à passer avec eux le dernier Noël, non, celui d'avant. Ils ont un bébé de deux ans, un démon ! Mais c'est obligé : ils n'arrêtent pas de lui demander ''ce qu'il veut faire cet après-midi''. A deux ans ! ''Ce qu'il veut pour son déjeuner !'' A deux ans ! Il ne veut rien, le pauvre gosse, il pleure, il fait des

230

caprices. Comment voulez-vous qu'il en soit autrement ? Mais, ajouta-t-il après un silence, c'est la même chose pour des adolescents. *Mutatis mutandis.* »

« *Mutatis mutandis,* poursuivait Lautier, car rien n'est plus difficile que de faire des choix, à cet âge, quand on ne sait rien. La formation intellectuelle (il détachait les deux *l*), la formation intel-lectuelle est à ce prix. Ce dont un jeune homme a besoin, c'est qu'on choisisse pour lui, que quelqu'un lui montre la voie, quelqu'un qui sait mieux que lui, à ce moment-là de sa vie, ce qui lui convient. Après, il sera toujours temps de choisir, parce qu'on vous en aura donné les moyens. Enfin, conclut-il avec un soupir, on aura essayé, du moins. Vous ne voulez pas le fauteuil ? » ajouta-t-il abruptement. « Non, dit Pierre, mais prenez-le, je vous en prie. » « Merci, dit Lautier, j'y suis toute la journée avec celui-là sur les genoux, et les journées sont longues. Vous voyez, je ne l'ai pas pris, il m'en veut, il me fait la tête. Tu me fais la tête, Oscar ? » La pièce sentait la poussière, le chat, les vêtements mal soignés. Dans le couloir, Pierre aperçut une porte fermée. « C'était là » pensa-t-il. Maintenant, tout était en ordre, le lit fait. Où dormait-il ? Sur ce divan froid, sans doute, pensa Pierre. Lautier s'était levé. « Un peu de café ? » « Volontiers », dit Pierre, à qui le vin rosé à trois heures de l'après-midi avait donné mal à la tête. Le chat miaula, s'étira et rejoignit Lautier dans la cuisine au premier bruit de casseroles suivi de celui d'une assiette raclée. Pierre avait ramassé un crayon et le posait sur la table. « Celui-là ! dit Lautier qui revenait dans la pièce, il n'a pas de plus grand plaisir que de tout balayer d'un coup de patte, mes crayons, autrefois ma pipe, maintenant je ne fume plus. Et quand ce n'est pas mes lunettes. Après, je peux chercher. » Pierre avait fait une boulette de papier et la jeta au chat qui la poussa d'une patte molle, puis les oreilles couchées commença de jouer : « Vous n'avez pas fini, alors, dit Lautier d'un ton ravi. Regardez-moi ça, une veille bête qui a presque quinze ans ! »

Le café fumait, Pierre reposa sa tasse et regarda en silence sa main sur la table. « Alors ? dit doucement Lautier. Je suppose que vous n'êtes pas venu me voir seulement pour m'entendre parler de mon chat, ou de la proposition infinitive ? » « Non », dit Pierre, et il sentit une grande confusion l'envahir. Le chat avait sauté sur les genoux de Lautier qui promenait doucement sa main dans la fourrure, selon un parcours familier auquel le chat se prêtait en soulevant le menton ou en offrant son ventre. « Non », dit Pierre encore. Derrière Lautier, dans une vitrine qu'en arrivant Pierre n'avait pas remarquée, de belles porcelaines étaient disposées. « Qu'est-ce qui ne va pas ? dit Lautier. Vous me permettez d'être franc ? Vous n'avez pas trop bonne mine. » « Je ne sais pas quoi faire », dit Pierre. « Quoi faire ? » « Oui, de moi. » « J'ai connu cela, dit Lautier, vers quarante ans. » « J'en ai trente-sept », dit Pierre. « Comme vous êtes jeune, dit Lautier. A trente ans, continua-t-il, je m'étais cru une vocation de savant, d'érudit, et même une sorte de talent pour les, disons, pour les belles-lettres. (''L'on ne peut avoir l'âme grande...'', pensa Pierre.) J'ai rapidement déchanté, rangé mes petits essais dans un tiroir — remarquez bien que je ne les ai jamais jetés. Jamais relus non plus, ajouta-t-il avec un sourire. Et puis on m'a donné ce poste d'hypokhâgne au lycée de R. Je dois dire — comme ces mots-là sonnent étrangement aujourd'hui ! — que j'y ai connu les plus grandes joies de mon existence. Mais tout de même, à quarante ans, j'ai eu un mauvais passage, un passage à vide (Pierre se sentait reconnaissant à Lautier de ne pas l'avoir laissé parler. Il ne dit pas, songea-t-il aussi, que c'est à ce moment-là que sa femme est tombée malade.) J'avais le sentiment d'être passé à côté de quelque chose, ou d'avoir laissé passer ma chance, enfin toutes ces choses stupides et bien commodes qu'on se dit pour se masquer la vérité, plutôt que de reconnaître qu'on n'a rien manqué du tout, qu'on a fait exactement ce qu'on devait faire, ce qu'on était capable de faire. » Pierre secoua la tête. « Je ne dis pas ça pour vous. Trente-sept ans, vous êtes jeune, vous pouvez encore vous ressaisir. Mais, je vous en supplie, pas d'amertume et surtout pas de mauvaise foi ! Quelqu'un en nous sait bien mieux que nous ce qui nous convient : en règle générale, que cela nous plaise ou non, c'est à lui que nous obéissons. Et si nous trouvons ensuite notre destin médiocre, c'était le nôtre pourtant, pas de doute là-dessus. » « Ce n'est pas cela », dit Pierre. « Bien sûr, dit Lautier, jamais deux cas ne sont semblables ! Et je vous le dis, vous êtes jeune encore. » « Non, dit Pierre, c'est ma vie, ma vie privée, comme on dit. » Le visage de Lautier s'était imperceptiblement fermé. « Je me suis marié très jeune, vous le savez. » « Je le sais, dit Lautier, et, vous me permettrez, j'avais sans doute tort, mais à l'époque je vous ai trouvé bien pressé. » « J'ai bien fait, dit Pierre, nous avons un fils qui a treize ans, et une petite fille. Nous sommes très heureux.

Mais... » Il fit une pause, puis il se lança : « Mais, j'ai rencontré une autre femme. Voilà, tout est là, je ne sais plus quoi faire. Je ne sais pas non plus pourquoi je vous ai dit tout cela. » « Récemment ? » dit Lautier. (Cette question qui venait plus de sa gêne et de sa courtoisie que d'une curiosité ou d'une perspicacité véritables soulagea Pierre.) « Non, dit Pierre, il y a presque cinq ans. » Le visage de Lautier ne rayonnait plus de la même chaleur, de la même attention. Je l'ennuie, pensa Pierre, ou je le choque. « Je vous ennuie », dit-il. « Non, dit Lautier. Est-elle... mariée, elle aussi ? » (Pierre entrevit l'appartement de l'HLM et la main de l'infirmière qui se posait sur sa ceinture pour la défaire. Non, de cela, il ne parlerait pas.) « Elle ne l'est pas, dit-il, elle est très jeune. Elle travaille à la bibliothèque, elle est bibliothécaire, documentaliste comme on dit aujourd'hui. » Lautier haussa les épaules : « On dit n'importe quoi. Bibliothécaire dit parfaitement ce que ça veut dire. Est-ce qu'on aurait honte des livres, maintenant ? » « Elle n'a que vingt-six ans », dit Pierre. « Je vois », dit Lautier, et il se tut. Pierre sentit qu'il devait continuer : « Je n'avais jamais pensé que ces choses-là m'arriveraient à moi. Je me croyais protégé, protégé par notre façon de vivre et par... » Il hésitait. « Par la confiance de ma femme. » « Vous lui en avez parlé, naturellement », dit Lautier. « Non, dit Pierre. Cette confiance qu'elle a en moi est intacte. » La nuit descendait, Lautier tira le cordon et la suspension s'alluma. Puis il se leva, fit le tour de sa chaise, et se pencha vers Pierre les deux bras appuyés sur le dossier. « Voyez-vous, dit-il, cela va vous paraître étonnant, mais je suis un homme qui n'a pas vécu. Pas au sens où vous l'entendez. Je vous écoute, mais

je ne connais rien de tout cela. » Pierre reprenait :
« Elle s'appelle Laure, vous voyez que je ne sors pas
de la littérature. » Mais Lautier ne l'écoutait pas.
« Je me suis contenté d'être pendant vingt ans le...
compagnon d'une femme malade, exigeante, amère,
et qui avait quelque raison de l'être. Nous avions
eu une petite fille, elle est morte à un an de la diph-
térie, du croup. Après... » « Pardon, dit Pierre, je
n'aurais pas dû vous déranger. » Lautier reprenait :
« Je n'ai jamais regardé ailleurs. » Le soleil couchant
les éclaira soudain. « J'ai vécu ici, parmi les livres,
trouvant tout en eux. Dans une sorte de fraternité
avec les grandes œuvres qui m'a peut-être tenu à
l'écart de tout, mais qui m'a aussi tenu lieu de tout.
Qui m'a donné la force, le goût de, de... continuer.
Une fois, une fois, je vais vous raconter. » Il était
venu s'asseoir. « Un jour j'ai dû monter à Paris où
je n'étais pas allé depuis trente ans, depuis mes années
d'études. Tous ceux que j'avais admirés à l'époque
étaient morts, ils avaient même donné leur nom à
des rues ! Et j'ai vu aussi qu'on ne les lisait plus.
C'est en levant la tête vers une des ces plaques que
j'ai compris combien j'avais été heureux d'être resté
à l'écart. » Pierre le regardait. Il se sentait un peu
irrité. « Je l'aime vraiment. » « Bien », dit Lautier
et il continua sans conviction : bien, soyez coura-
geux, quittez votre famille, épousez cette jeune fille,
après tout elle n'a rien fait pour mériter cela. » « Je
l'aime vraiment », répéta Pierre. Puis il haussa les
épaules : « Aux yeux de ma femme, dit-il, je suis
un... adulte, quelqu'un qui a des projets, un avenir,
du talent peut-être. Si elle apprenait cela, elle serait,
plus que tout, comment dire ? déçue. Oui, déçue. Un
peu comme si elle apprenait, par exemple » — il

235

s'arrêta à temps ; il avait failli dire : « que je m'étais mis à boire. » Il dit : « … que je vole dans les supermarchés. »

22

Lautier tournait sa cuiller dans sa tasse vide, et
ne regardait plus Pierre. Celui-ci continua, avec
effort : « Annie est, comment dire ? tellement inno-
cente ! Je veux dire : de toutes ces choses-là. » « Et
l'autre... jeune femme ? dit Lautier. Sans doute
pense-t-elle que vous êtes malheureux, que vous avez
fait une erreur ? C'est ce qu'elles pensent généralement dans ces cas-là. » « Même pas, dit Pierre. Elle
ne pense rien. Elle m'aime. Elle m'attend. » Le visage
de Lautier s'était de nouveau fermé. « Les femmes
attendent qu'on les épouse, dit-il, et elles ont entièrement raison, nous n'avons rien de mieux à faire,
nous ne sommes rien à côté d'elles. Seulement, on
ne peut pas épouser deux femmes. » « En même
temps, non », dit Pierre. « Ce n'est pas ce que je
veux dire, dit Lautier : même à la suite. » « Il

faudrait que je me retrouve libre, dit Pierre, magiquement libre, c'est ainsi qu'elle, que Laure voit les choses. Magiquement libre : sans avoir à quitter personne, sans avoir à faire de tort à personne. Mais je ne le peux pas. » « Non, dit Lautier, vous ne le pouvez pas. Je me suis toujours défié de l'amour physique, il nous demande trop. Nous n'avons qu'un corps, donc qu'une âme : il faut le savoir. » « Mais, dit Pierre, je ne suis pas ce qu'on appelle un libertin. » « Bien sûr, dit Lautier, mais pour vivre comme vous le faites — je n'ai jamais su le faire — il aurait fallu des forces ou une inconscience que je n'avais pas. » « Je ne les ai pas non plus, dit Pierre. Pour tout le monde, enfin pour ceux qui savent, je suis un homme divisé, un homme qui a "une double vie". Mais ce n'est pas vrai. Avec chacune d'elle, dans chacune des parties de ma vie, je suis tout entier. Moi, tout entier. Comme ces carrelages qu'on peut regarder en creux et en relief. » Il s'embrouillait. Puis il trouva une autre image : « Le positif et le négatif d'un même homme. » « Vous voyez bien que j'ai raison, dit Lautier, mais à quoi bon vous dire cela ? Je vous le répète, je ne connais rien à ces choses, je n'ai pas vécu. Mais je n'en ai pas de regrets. »

Le temps passait. Pierre sentit qu'il devait le quitter. « Pardon, dit-il, j'ai honte de m'être ainsi livré dans toute ma faiblesse. » Lautier secouait la tête : « Et moi, pour tout le monde, j'ai été un homme admirable, un homme qui s'est sacrifié. Ce n'est pas vrai. Pas du tout. J'ai été parfaitement heureux ici (et il montra de la tête l'autre part de l'appartement)... et là-bas. Il faut être patient. » « Patient », répéta-t-il. Lautier, pour la première fois posa sa

238

main sur le bras de Pierre : « Mais est-ce qu'on dit ces choses-là à un jeune homme passionné ? »

Dans la rue, Pierre s'interrogea : « Est-ce que je suis un homme passionné ? » Il haussa les épaules et remonta frileusement son cache-nez. La nuit était presque tombée.

Le même soir, tard, Pierre essaya d'appeler Laure au téléphone. Mais elle était déjà couchée et elle dormait profondément : quand elle se leva, on avait déjà raccroché. C'était sans doute Pierre. Recouchée, les yeux ouverts dans le noir, elle faisait le calcul : de tout ce mois de janvier, en comptant large, elle avait vu Pierre six fois. Cela faisait un peu moins de quinze heures. Dans dix ans, pensa-t-elle, ils auraient passé environ deux mois ensemble. Ce calcul la découragea, mais elle se rendormit quand même.

Pierre resta debout un moment dans le noir, près du téléphone muet. Puis il alla s'asseoir à la table et se prit la tête dans les mains. la clarté nocturne baignait la salle à manger, les magazines sur le canapé, les petites autos de son fils. Au bout d'un moment, la porte s'ouvrit : « Tu ne dors pas ? » dit Annie. « Si, dit-il, je viens. » Et, s'étant levé, il la rejoignit dans la chambre, après avoir éteint la lumière du couloir.

Cette nuit-là, Pierre fit deux rêves ; dans le premier il était à Saint-Saturnin, le village de ses grands-parents ; il faisait nuit, la lune donnait à toutes les rues un aspect brillant, froid, menaçant. Toutes les

239

portes étaient fermées, les volets mis. Devant lui, un homme venait, vieux, appuyé sur une canne ; comme il approchait, Pierre vit son visage : extrêmement fin, et encore jeune, baigné malgré le contre-jour d'une lumière étrange, qui irradiait ses traits, et illuminait ses orbites creuses, son sourire extatique. Pierre s'éveilla en sueur. Puis il rêva de Lautier : « J'ai parlé à votre femme, disait celui-ci en reposant sa tasse de café. Elle est d'accord sur tout. » « Elle sait donc ? » disait Pierre. « Bien sûr, disait Lautier, je ne lui ai rien appris ! Oh, et bien d'autres choses encore ! » Pierre sentait son cœur battre : « Quoi donc ? et il regarda Lautier. Vous avez toujours été un modèle pour moi », dit-il. Lautier éclata de rire : « Un modèle ! » « Oh, intellectuellement. » Il avait séparé comme Lautier le faisait, les deux *l*, et il répéta : « intel-lectuellement ». Puis il eut honte, il craignait que Lautier ne s'en soit aperçu. Il va penser que je me moque de lui, pensa-t-il. Pierre se réveilla avec le sentiment qu'il avait oublié bien des choses de ce rêve.

Quelques jours passèrent, Pierre ne retéléphona pas. Le silence de Pierre n'étonna pas Laure, elle en découvrait confusément les raisons et s'imaginait même les partager. Et une sorte de certitude vague tempérait la douleur d'être séparés, apaisait la crainte qu'il eût décidé de la quitter. (Mais Pierre n'avait rien décidé : simplement, il ne téléphonait pas.) Le soir, dans sa chambre, Laure se regardait longuement dans le miroir en pied, soulevant sa chemise pour dégager son ventre, le haut de ses cuisses, voyant son corps intact, mais le sentant invisiblement vieillir — inutilement. Puis elle rabattait sa chemise et se couchait. Elle s'endormait vite.

Et pendant ce temps, en ne téléphonant pas, Pierre s'était déjà entièrement soumis au jugement qu'elle porterait sur son silence, sur son absence, sur ce qu'il pensait qu'elle appellerait "sa démission". D'avance, il acceptait sa sévérité ; il allait même au devant d'elle ; il y trouvait une occasion de manifester et de renforcer son admiration pour Laure. Avec une fierté secrète et un sentiment de bonheur coupable, accablé, « elle est si entière », pensait-il — oubliant que Laure n'avait de toute façon pas les mêmes raisons que lui de se "partager". Elle avait "de la vie" une idée "droite" — ce que confirmaient dans son visage ses yeux un peu trop rapprochés, et ses cheveux plantés bas — qui consistait à refuser les "compromis", à ne même pas imaginer qu'on fût obligé ou contraint d'en passer. Du reste, Pierre ne les aimait pas davantage : il était seulement nécessaire qu'il y eût recours, ne pouvant tenir ses engagements envers l'une qu'aux dépens de ceux qu'il avait pris envers l'autre. Il enviait Laure de pouvoir ainsi sans effort respirer l'air raréfié de la pureté, quand sa propre vie, à lui, était placée sous le signe de la division et de l'établissement des vérités provisoires. Dans ces moments-là Pierre, coupable et malheureux, regardait Laure se lever de leur lit et, comme dans certains textes de la Grèce antique où le mortel voit la femme dont il a partagé la couche reprendre sous ses yeux son air terrible, son visage brillant et ses dimensions exagérées, draper dans un peignoir de bain les formes froides et sans pitié d'une allégorie de l'abandon (en réalité, elle était au bord des larmes et faisait de son mieux pour le cacher). La cruauté de Laure le crucifiait : sa douceur, son indulgence, bien davantage. Car, quoi qu'il fît, Pierre se sentait en reste d'une chose qu'il aurait dû ou qu'il aurait pu faire. Partait-il plus tôt que les autres fois, il était en faute ; mais restait-il plus longtemps, il montrait à Laure qu'un autre jour il avait été plus pressé de la quitter, ou plus soumis aux exigences de sa famille. Dans les deux cas, il administrait clairement la preuve qu'il n'était pas libre d'agir. Du coup, le cercle de ses actions se resserra, s'appauvrit : et Pierre sentit diminuer chaque jour l'espace d'indétermination qui les rend possibles. Lorsque d'aventure il retrouvait le goût de travailler, ou celui de lire, c'était justement l'heure d'un rendez-vous avec Laure, ou le moment d'aller chercher la petite à la piscine, ou de conduire Bruno chez le médecin. De toutes parts, sa vie était réglée, cernée. Il y avait Laure, bien sûr — mais aussi les conseils de classe et les réunions pédagogiques ; les dîners à la maison ou chez des amis ; les mercredis après-midi des enfants. La moindre modification dans son emploi du temps, outre qu'elle eût chagriné Laure, eût risqué d'alerter sa famille (« Tiens, papa, tu es là, cette après-midi ? »), d'éveiller les soupçons. Et lorsque effectivement il se trouvait disposer d'une heure où il aurait pu "s'échapper" et courir chez Laure (comme au début de leur entente), il n'en faisait rien : il restait à sa table, malheureux, sans courage, parcourant dix fois la même page d'un livre sans la comprendre, sachant bien qu'en restant chez lui, seul, il perdait à la fois et le bonheur de voir Laure et

242

le bénéfice d'avoir fait à sa famille un sacrifice dont elle ne saurait jamais rien.

Malgré cela, lorsque sur un timide coup de téléphone à Pierre, ils se revirent en février (Laure se croyant toujours sur des positions d'observation et de défiance, Pierre malheureux, insatisfait et sûr de continuer à devoir l'être), une fois encore tout recommença. Tout pouvait reprendre, leur histoire n'était pas finie. Et c'était comme si, à leur insu et presque contre leur volonté, plutôt que de renoncer et de s'éteindre, leur "entente" avait choisi de se mettre à flamber de nouveau ou — pour employer une image peut-être plus juste — comme une graine, jetée au hasard, sans terre presque, sans eau, avec juste un peu de soleil, fait pousser inexplicablement une tige verte entre deux pierres sèches. L'amour était revenu et, avec lui, la certitude, entière, y compris celle du malheur : mais un malheur tellement circonscrit, tellement familier qu'il n'était rien de bien redoutable, rien qu'on ne pût prévoir ou qu'on n'eût déjà expérimenté.

Ce furent leurs jours alcyoniens, ces jours d'hiver où, selon la légende, Zeus apaisa la tempête pour que l'oiseau Alcyon puisse déposer ses œufs sur la mer : une sorte de printemps miraculeux cerné par l'hiver, une île, une oasis. De plus, il y eut un véritable redoux : Pierre vint deux samedis à trois heures, il avait un col ouvert, une veste légère ; il apportait des fleurs (de chez le fleuriste). « Tu me fais penser à l'été », dit Laure. (Mais il valait mieux ne pas trop penser à l'été.) « C'est vrai, disait Pierre, j'ai envie de beau temps, de fenêtres ouvertes. » Puis, s'approchant de Laure : « Mais avec toi, j'ai envie de m'enfermer. » Il tirait les rideaux, allumait la lampe de chevet. Et Laure, tournant le dos au soleil inutile qui s'efforçait pourtant de passer à travers le store, se sentait un moment coupable d'avoir, en s'enfermant avec Pierre, violé une loi naturelle — puis elle regardait le visage de Pierre, sentait sa main se poser sur elle : et elle n'y pensait plus.

Chaque soir de ces semaines-là, Pierre revint et Laure ne posa pas de questions : ni l'un ni l'autre ne parla non plus des semaines précédentes où ils avaient été séparés, ni des lâchetés silencieuses que chacun avait commises envers l'autre. Pierre dit un jour seulement : « Je t'ai négligée, ma douce. » Elle le regarda en silence. Ce jour-là, il avait plu et les cheveux de Pierre, mouillés, se collaient autour de son front. Négligée ? « J'ai téléphoné, dit-il, une ou deux fois, mais tu n'étais pas là. Ou bien tu ne voulais pas me répondre. » Sa veste aussi était mouillée ; il sentait la laine, le foin. Elle le lui dit. « Le chien mouillé, plutôt », dit Pierre. Et il retira sa veste. Elle s'était déjà rapprochée de lui et glissait le bras autour de sa taille, et appuyait le visage là où sous sa chemise on sentait la peau chaude et l'odeur familière de Pierre. « Viens vite, dit-il. J'avais tellement envie de toi, tous ces soirs-ci. »

Un peu plus tard, ils se retrouvèrent côte à côte, étendus sur le ventre ; la petite lampe du chevet leur communiquait comme d'habitude son effet apaisant. Près de l'oreille de Laure, la montre de Pierre battait. Pour une fois ce rappel du temps n'avait pas d'effet sur elle : tout n'était-il pas bien, puisqu'ils s'étaient retrouvés ? De son côté, Pierre se sentait lavé de toute inquiétude, de toute interrogation, de tout soupçon : il avait même oublié la détresse qui l'avait poussé vers Lautier, et ses confidences inutiles. Il se retourna vers Laure et, la bouche sur elle, huma son flanc avec ardeur : « J'aime ton odeur, dit-il, ah, j'aime tant ton odeur. » Il s'était redressé, il la regardait. « Ne me regarde pas ainsi », dit-elle. « Si, dit Pierre, ouvre les yeux. Regarde. » Il s'était agenouillé au pied du lit, la forçait à écarter les jambes. Elle fit un mouvement de résistance. « Non, dit Pierre, laisse faire. » Les yeux toujours fixés sur elle, Pierre s'inclinait lentement, et pour finir, enfouit son visage entre les cuisses de Laure. Ses mains qui la tenaient aux hanches lui parurent glacées, elle y posa les siennes comme pour les réchauffer. Mais à partir de ce moment, la partie inférieure de son corps, qu'ils tenaient tous deux, lui parut séparée d'elle-même, étrangère, soumise à une loi brutale. Elle fut soulagée lorsqu'il revint vers elle et qu'elle sentit sa propre odeur sur le menton encore humide de son amant.

Puis ils s'endormirent.

23

Laure avait rouvert les yeux, et regardait entre ses paupières, dans la pénombre artificielle de la chambre, la forte épaule de son amant, près de la sienne, et sa bouche confiante, entrouverte sur l'oreiller. L'une des jambes de Pierre était passée par-dessus la sienne, presque sur son ventre ; elle caressa doucement le haut de sa cuisse, pour ne pas le réveiller.

Le bras droit de Pierre la tenait fixée contre le lit ; elle essaya par jeu de se soulever, puis y renonça. Six heures sonnaient ; ils pouvaient rester encore un moment comme cela. De nouveau elle sombrait dans le sommeil lorsque quelque chose l'arrêta juste au bord : une espèce de froideur, de douleur, de regret. Était-ce d'avoir revu Pierre ? D'avoir repris la chaîne des contraintes, des jours ? Peut-être. En y réfléchissant pourtant, elle sentait que c'était quelque chose

246

d'autre ; quelque chose qui s'était passé au moment où Pierre, sans la quitter des yeux, l'avait saisie aux hanches et s'était incliné vers elle. A cet instant-là, elle avait vu Pierre se transformer en un être différent, brutal, appliqué et, oui, c'était le mot, violent. Entre le moment où ils s'étaient étendus ensemble et celui où Pierre réveillé, rhabillé, s'attarderait un instant, comme d'habitude, auprès d'elle, lui caressant tendrement les joues, lui disant doucement adieu, un étranger avait fait son apparition : un étranger qui n'était pas Pierre seulement — le corps, les gestes, la physionomie de Pierre — mais son propre corps à elle, Laure. De cette violence, elle s'était parfois plainte ; elle avait gémi : « Tu me fais mal » et Pierre, qui comprenait sans doute le sens caché de ces mots : « Oui, c'est exprès, *je veux* te faire mal. » Mais il lui semblait qu'elle avait vu aujourd'hui pour la première fois le jeu obscène, brutal et réjoui, auquel leurs deux corps sournoisement accordés s'étaient livrés sous ses propres yeux, et comme sans sa participation.

Mais n'était-ce pas la faute de Pierre ? Dès qu'ils étaient couchés ensemble, à chaque fois, Pierre se mettait à se comporter d'une façon à la fois savante et emportée — comme en proie à une détermination immuable, à laquelle il semblait du reste devoir se plier lui-même, sans autre choix : comme si l'amour physique avait été une tâche, une douleur, une malédiction, comparable, pensait-elle, aux secousses d'un corps qui lutte et souffre, aux efforts d'un serpent qui tâche de se débarrasser de sa vieille peau. Il arrivait parfois qu'un mouvement involontaire de Laure contrarie Pierre : il l'écartait alors avec impatience, ou au contraire l'attirait de nouveau contre lui sans qu'elle sache pourquoi, comme s'il obéissait à des lois qu'elle ne connaissait pas, comme le partenaire plus habile, plus instruit, d'un jeu compliqué, d'une danse dont on ne connaît soi-même pas très bien les règles. Dans le même temps, Pierre lui semblait comme aveugle, malgré la sûreté de ses gestes ; et soumis autant qu'elle à une loi invisible, à partir du moment où il s'était retrouvé seul avec elle et l'avait vue, nue, sur un lit. A partir de ce moment-là, ce qu'ils pouvaient bien vouloir, l'un et l'autre, ne comptait plus : en eux, à travers eux, quelque chose parlait, auxquels ils étaient eux-mêmes étrangers. N'était-ce donc que la loi de l'espèce, à laquelle il fallait se soumettre et les hommes surtout, plus impérieusement sommés d'y répondre, puisqu'il importait, dans l'état de nature, que coûte que coûte, la femme fût prise, et fécondée ? Mais on n'était plus dans l'état de nature. Et même dans ce cas, s'il s'était agi seulement des nécessités de la reproduction, une telle activité, une telle fatigue, une telle virtuosité n'auraient pas été indispensables.

Faire l'amour (expression dont elle n'usait jamais, même dans son for intérieur) lui sembla dès lors quelque chose de bouleversant et de terrible ; comme de naître ou de mourir, un passage difficile et dangereux — et le mieux aurait été d'en finir au plus vite. Durant cet échange qui ressemblait plutôt à une lutte, à un duel, ils étaient toujours demeurés séparés ; trompés par la chaleur accueillante de la chambre où ils avaient cru possible de s'unir, ils avaient été en fait renvoyés chacun à la mécanique cruelle et solitaire d'un plaisir aussi rude qu'une épreuve sportive. Chacun s'était appliqué, dans la sueur et l'excitation ; dans un mélange assez rébarbatif de technicité et de comportement bestial. Pierre surtout, qui dormait maintenant épuisé. Elle se tourna vers lui et posa doucement ses lèvres sur son épaule avec un mélange d'admiration et de pitié, et l'envie de lui dire qu'on y serait bien arrivé tout de même, sans cette crispation de tous les muscles, sans ce visage contracté, ce front en sueur, cette respiration haletante, ces grands battements de cœur.

Là-dessus, elle se rendormit.

Et lorsqu'il se réveilla quelques instants plus tard, Laure le regarda avec une tendresse renouvelée, comme on regarde un malade qui, après une crise dangereuse, a fini par s'endormir, apaisé. Elle lui caressa le front. Rien de mal ne pouvait lui arriver tant qu'elle était là ; ce à quoi il était soumis (sa famille, ce découpage du temps, mais aussi la dure loi de l'espèce, des corps), n'était-elle pas là pour le lui rendre plus léger ? Elle se serra contre lui, les yeux contre ceux de son amant. Il s'éveillait lentement, la regardait aussi. « Tu me fais loucher, dit-il. Quelle heure est-il ? Ah, je crois que j'ai dormi. » Mais il ne se levait pas ; il refermait les yeux : « Que j'aime dormir avec toi », ajouta-t-il. Elle lui caressa la main. Que pouvait-il leur arriver, quelles autres douleurs que celles qu'ils avaient déjà connues ? D'autres pouvaient craindre le trouble, la perte de confiance, l'assaut des jalousies, les orages, les inquiétudes, eux non. Leur avenir était tout tracé, sur le modèle de leur passé. « Comme les morts, pensa-t-elle (elle avait lu cela quelque part), qui sont au moins débarrassés de la crainte de mourir. »

Avec la réorganisation de la salle de lecture,

Laure eut beaucoup plus de travail que d'habitude ;
mais elle se rendait chaque matin à la bibliothèque
avec une sorte d'entrain joyeux, auquel ses retrouvailles avec Pierre n'étaient pas étrangères. Il leur
arriva même de se rencontrer comme avant — sur
la place du Vieux Théâtre : ils ne s'asseyaient pas
ensemble, non, tout de même, mais ils échangeaient
quelques mots sans pouvoir cesser de sourire et de
se regarder dans les yeux. Pierre, voyant Laure heureuse, respira, devint lui-même plus gai. Il en fit
profiter sa famille, se montrant plus accueillant aux
propositions de charades ou de promenades, acceptant même de jouer aux cartes (ce dont il avait
horreur) un dimanche pluvieux. Ces signes auraient
pu alerter Annie : mais rien n'alertait Annie, et Pierre
avait eu raison de dire à Lautier que « pour Annie
ces choses-là n'existaient tout bonnement pas ».
C'était bon pour les autres, pour un de ses collègues
de bureau, comme un certain Fromanger, dont elle
parlait toujours avec un amusement dénué de toute
réprobation. Il avait entretenu vingt ans durant un
''double ménage'' : maintenant qu'il était veuf, il
avait rompu complètement avec son amie. Annie en
avait fait à Pierre le récit en souriant, sans malice.

Février avançait, le froid n'était pas revenu,
Pierre proposa de faire une promenade et, pourquoi
pas ?, on pourrait déjeuner dans une auberge. Pour
une fois, Laure se fit remplacer (elle n'aimait pas
trop cela) et un mardi (Pierre n'avait pas de cours
un mardi sur deux), ils se retrouvèrent ensemble,
étonnés, dans une campagne dénudée, mais adoucie
par un printemps prématuré. Quelques pousses vertes

avaient fait leur apparition ; des oiseaux chantaient.
De loin, si on se retournait, on pouvait apercevoir
la ville, comme sur un dessin que Turner en a fait,
une masse hérissée de clochers et de toits que domi-
naient maintenant sur le côté est des cheminées
d'usine et, plus loin encore une barre de HLM. Pierre
gardait Laure contre lui, ayant saisi sa main qu'il
ne lâchait pas et qu'il tenait serrée contre sa poitrine
avec tendresse. Il y avait une auberge au fond du
parc, c'est là qu'ils déjeunèrent. Aucun des deux
n'osa faire le compte des jours qui les séparaient de
leur dernier repas dehors, c'était mieux ainsi. Laure
était calme, et elle s'étonnait d'avoir connu, il y a
si peu de temps, des inquiétudes, des découragements : elle regardait la belle main carrée de son
amant, posée avec détermination sur la table, et ses
épaules massives dans sa veste de tweed bleu. Il portait même l'une des écharpes que Laure lui avait
offertes, qu'il avait toujours "oublié" de mettre,
pour éviter des questions gênantes peut-être. Il semblait avoir pris froid, ses yeux étaient rouges, sa voix
embarrassée, mais elle s'éclaircit après quelques gor-
gées de vin. Laure ne cessait pas de lui sourire. « Ne
me regarde pas comme cela, dit-il, je ne peux rien
manger. J'ai envie de te toucher, là, sous la table. »
Il s'était penché en avant, glissait la main sous la
nappe et l'ayant posée sur le genou de Laure, le
caressa tendrement. « Tu as les jambes douces », dit-
il. « Ce sont mes bas », dit Laure simplement. Ils
finirent la bouteille de vin avec le gâteau, et Pierre
en redemanda un verre pour attendre le café. Ses yeux
brillaient. Derrière eux, quelques tables étaient occu-
pées. Un homme assez gros parlait d'une voix émue

à une femme blonde entre deux âges, qui semblait l'écouter sans plaisir.

« Il faut vraiment que je me remette à travailler, dit Pierre. Vraiment, cette fois-ci, oui, sans blague. L'été dernier je me suis amusé, ça n'avait pas de sens. » Laure hocha la tête. « Tu le penses aussi », dit-il. « Oui, dit Laure, oui, je le crois. » « J'ai besoin de toi, besoin que tu m'encourages. » Il avança la main sur la table. « Ce qu'il faut, c'est que je me donne un sujet, et un délai. Peu importe : trois, cinq ans. Et le projet de faire un petit livre, pas une thèse. Bien sûr, ça peut être aussi une thèse. Veux-tu que nous marchions un peu ? » Ils étaient les derniers, le maître d'hôtel qui les surveillait discrètement depuis un moment apporta l'addition toute prête, au premier signe de Pierre.

Dehors, il prit de nouveau la main de Laure et la serra contre sa poitrine. « Donne, donne ta main », dit-il. Mais elle la lui avait déjà donnée. « Tu m'aideras, nous ferons des recherches ensemble. » Tout au bout du parc, dans les anciennes écuries du château (lui-même partiellement démoli à la Révolution), on avait aménagé un petit musée. « Entrons, dit Pierre, tu veux ? Il ne fait pas tellement chaud. » « Je n'ai pas froid », dit Laure. Derrière une table disposée perpendiculairement à l'entrée, une femme au visage rouge semblait somnoler ; réveillée, l'air bougon, elle leur tendit deux billets. « Commencez par là, dit-elle en montrant vaguement la pièce. De toute façon l'étage est fermé. » « Et il y a quoi à l'étage ? » dit Pierre. « Des expositions temporaires. » En effet, la petite entrée était décorée d'affiches montrant des pastels, des papillons, des cristaux géants et des masques maoris.

Ils firent quelques pas qui résonnèrent dans le silence. Aux deux plus grands murs de la pièce carrelée, des tapisseries pâlies étaient accrochées. Sur la plus proche, une femme aux cheveux dénoués baisait le sol devant le trône d'un prince, qu'entouraient des arbres bleus et des guerriers au visage cerné d'une barbe très noire. La gorge de la femme s'épanouissait largement dans le corsage chamarré d'une robe à traîne. « Esther, dit Pierre, c'est Esther au moment où elle révèle au roi Assuérus qu'elle est juive et lui demande la grâce des siens. J'ai si souvent expliqué ce texte ! » Il avait l'air content. « D'où viennent ces tapisseries ? » dit Laure. « Je ne sais pas, probablement du château. » La gardienne les avait entendus : « Non, Monsieur, dit-elle, oh non, pensez-vous, tout avait été pillé. » « A la Révolution ? » « Oui, mais le château n'a été démoli qu'en 1820. Ceci, c'est un legs du dernier propriétaire, qui possédait un hôtel en ville. A sa mort, on a ouvert un musée, ici, dans les anciennes écuries. Et Monsieur le maire y a fait venir d'autres choses. » Posée sur un meuble aux pieds torses, une horloge décorée sonna trois coups. « J'étouffe, dit Pierre, tout à l'heure j'avais froid, maintenant j'ai trop chaud, je me sens engoncé là-dedans. » Il ouvrit son manteau et entoura de son bras les épaules de Laure. « Comme les couleurs ont passé, dit-il. Tu imagines quand ces beaux rose pâle étaient rouges, et ces arbres d'un vert brillant. » « Je les aime mieux comme cela », dit Laure. Pierre continuait et sans regarder les tableaux : « Tu vois, j'aurais dû partir, voyager, prendre un poste à l'étranger. En Italie, par exemple. Là, j'aurais vraiment pu travailler. » Le parc se montrait entre deux tableaux, avec ses beaux arbres aux troncs lavés par l'humidité et une pelouse très claire. « Oui, j'aurais étudié la peinture, par exemple, je m'aperçois que j'adore ça, pas la peinture des musées, mais celle des petites églises, les fresques. » Laure s'était avancée jusqu'à l'autre mur et lui montrait un tableau très sombre dans le contre-jour. « Regarde, dit-elle, c'est nous. »

24

Sur un fond de forêt très sombre, encore accentué par des couches répétées de vernis, deux corps étaient debout, nus : l'homme était penché vers la femme et lui tendait une branche chargée de fruits. Ils étaient très blancs ; le corps froid. Les montagnes derrière eux s'étageaient à l'horizon en hautes découpures d'un bleu profond. Aux pieds de l'homme, un animal était couché, dans sa gueule rouge des dents brillaient. « Qu'est-ce que cela représente ? » dit Laure. « Je ne sais pas, dit Pierre, on n'y voit rien. » Il avait manœuvré le volet intérieur de la fenêtre et le tableau si petit éclata d'une lumière vive, quand l'ombre se dissipa. « C'est Adam et Ève ? » dit Laure. « Où vois-tu Adam et Ève ? » dit Pierre. « Je ne sais pas, ce n'est pas une pomme qu'elle tient ? » Pierre lisait tout haut : « Allégorie de l'amour, École de Patinir. Ah ! » ajouta-t-il.

Puis il se retourna vers Laure. « Non, écoute-moi, je t'assure, il faut que je travaille. » « Mais oui », dit Laure paisiblement. « As-tu lu *Le Lys dans la vallée* ? » « Je ne me souviens pas », dit Laure. « Ça n'a rien à voir avec ce tableau, encore que... Mais j'y pense souvent, il y a un sujet magnifique. C'est l'histoire d'une femme, d'une femme d'un certain âge, enfin elle ne doit pas avoir plus de trente ans, mais pour l'époque... Elle est aimée d'un jeune homme, Félix de Vandenesse, et elle l'aime. Mais elle n'ose pas se l'avouer, parce qu'elle est mariée, parce qu'elle a des enfants. » Laure sentit une gêne s'insinuer en elle. Mais il continuait, apparemment sans l'avoir remarqué : « ... vers la fin du livre, elle est malade et elle meurt. Pendant son agonie elle entend passer des vendangeuses qui chantent en revenant du travail. Alors elle est saisie d'une sorte de rage, de regret, de mourir sans avoir su ce que c'était que la vie, sans avoir su la saisir. » De nouveau, Laure pensait à eux : est-ce qu'en s'aimant, ils avaient su ''saisir la vie'', échapper aux contraintes, aux conventions ? « Tu ne m'écoutes pas », dit Pierre sur le ton d'un enfant fâché. « Mais si », dit Laure. De l'entrée, une musique leur parvenait, basse, vulgaire. La gardienne avait remis en route le petit poste de radio qu'elle avait éteint à leur entrée. « J'ai besoin que tu m'écoutes, disait Pierre, j'ai besoin que tu m'approuves, il n'y a qu'à toi que je peux raconter cela. » Ils étaient arrivés devant une belle cheminée, visiblement rapportée, qu'une statue peinte dominait. « Elle s'est asservie, continuait Pierre, à un devoir imaginaire, elle est passée à côté de la vie physique, et elle doit mourir. Peut-être même soupçonne-t-elle qu'il n'y a pas d'au-delà. Alors elle a tout perdu. »

De nouveau Laure s'absentait. Comment se voit-il? pensa-t-elle. Comment nous voit-il? La voix de Pierre lui parut lointaine; elle sonnait faux : « Tandis que ces filles frustes, simples, connaissent, c'est comme dans une allégorie dionysiaque, une bacchanale, les certitudes de la joie du corps. » Il s'était rapproché de Laure. Un devoir imaginaire? pensait-elle. Un devoir *imaginaire*? Alors?

Mais alors, s'il pensait vraiment cela? Quelque chose se brouillait, devenait confus, sa pensée se détourna. « Oui », dit-elle seulement. « Mais l'amour pur et bon n'est pas à sa portée, poursuivait Pierre. L'amour qui sauve. Son désespoir est un blasphème, l'absence d'amour est un blasphème. » Sur une toile près de la cheminée, une femme, la tête de profil mais le corps de face, largement étendue sur une couche, détournait son visage de celui d'une servante, âgée, noire de peau, ridée, aux traits sévères, qui faisait couler sur sa main un filet d'eau bleu pâle. Derrière elles, une draperie soulevée montrait une fenêtre ouverte, et la forêt. « Tu es belle comme elle, dit Pierre, comme elle tu as le visage sévère, mais de larges hanches fécondes. » Il se tut. « J'aime parler avec toi, dit Pierre, je sais que tu me comprends, que tu m'encourages. Avec toi, mes projets ont une consistance. Est-ce que tu y crois un peu? Tu n'en as pas l'air, cela m'impressionne. Je viendrais tous les jours à la bibliothèque, poursuivait Pierre, j'aurais l'air de travailler et de temps en temps je lèverais sournoisement un œil de ma page, comme un collégien vicieux, pour regarder tes jambes. » « Vicieux, dit-elle. Eh bien, merci. » Il passa le bras derrière sa taille, la rapprocha de lui et baisa son cou. « Tu as chaud? dit-il, j'aime ton cou mouillé de sueur, ah oui, oui, ici, tout de suite. » Il la repoussa. Ils rirent. « Est-ce que tu as vu le petit chien ? » dit Laure. Sur la fourrure du lit, un carlin au museau aplati montrait les dents à la femme noire. « Ça, un chien ? dit Pierre. Quel monstre. » « Moi, dit Laure, si je faisais une thèse, je parlerais des animaux dans les tableaux. Les chiens, les chats, les lions. » Pierre continuait de regarder d'un air triste la belle femme nue au nez droit, et le bandeau tressé dans ses cheveux d'or. « Nous ne ferons plus l'amour. Nous n'aurons plus le temps et d'ailleurs tous les grands savants sont chastes. Et ils fument la pipe, leurs vêtements ont un relent insupportable qui repousse les femmes. » Puis il reprit sur un ton sérieux : « Je vais avoir quarante ans bientôt. » « Dans trois ans », dit Laure. « Oui, dit Pierre, ce sera vite venu. Quand je regarde derrière moi, qu'est-ce que je vois ? Rien. Cet été, j'y ai pensé : rien ne reste de ce que je fais, tout s'envole, je ne suis pas comme Lautier, moi, je ne crois pas à ma vocation. » « Lautier ? dit Laure. Est-ce que tu le revois de temps en temps ? » « Non, enfin, si, je l'ai aperçu l'autre jour au marché. » (« C'est la même chose pour moi, pensa Laure, qu'est-ce qu'il reste de ce que je fais, tous les jours, à la bibliothèque ? Est-ce que cela a vraiment de l'importance ? Pas vraiment. Pour Pierre oui, pas pour moi. »)

Un moment passa, ils regardèrent un ou deux tableaux sans les voir et, dans une vitrine, de la vaiselle Napoléon III. « Quel foutoir, dit Pierre, c'est un peu n'importe quoi. » « Oui, dit Laure, mais la pièce est jolie. » « Parfois je me demande, je me demande ce que je vaux vraiment. J'ai bien peur d'être quelqu'un qui ''a des projets'' ou plutôt

258

quelqu'un qui "aura eu des projets". » Laure s'était arrêtée devant une petite toile très claire. Debout près d'une colonne grecque brisée, un jeune garçon gracile jouait de la flûte. Il y avait derrière lui des ruines, un temple, et des montagnes lumineuses ; dans les yeux du garçon planait une rêverie étrange que contredisaient le mouvement lascif de son corps déjà mûr, et celui de ses lèvres, qui semblaient sourire autour du pipeau. La femme à la petite table avait maintenant sorti de son sac un ouvrage de crochet. Quelle était sa vie ? pensa Laure. « Regarde-la, dit Pierre qui avait suivi le regard de Laure. Toute la journée au milieu de ces tableaux. Est-ce qu'elle les a jamais regardés ? Crois-tu ? Jamais. » « Peut-être, dit Laure, mais tout de même cela compte d'être au milieu d'eux. C'est comme moi, toute la journée au milieu des livres. » « Oui, dit Pierre, mais toi, tu en lis. » « Pas beaucoup. Je ne sais pas ce que j'ai, je lis de plus en plus lentement. Six pages, c'est le bout du monde. » Elle regarda plus attentivement la femme. C'était une femme vivante, pensait-elle, la seule femme vraiment vivante, de sa vie de chair, parmi ces femmes sur les tableaux au mur, ou dans les livres dont parlait Pierre. Sans doute avait-elle échappé, en faisant ce travail, à des tâches plus ingrates : ouvrière, emballeuse à la fabrique. Ici elle avait trouvé un travail reposant, un peu monotone, mais dans une salle propre et bien chauffée. Laure ne se sentait pas tout à fait de l'avis de Pierre : oui sans doute, de tout ce qui l'entourait, cette femme ne connaissait rien ; elle ne s'en souciait pas ; ces vestiges d'un temps dont elle ne savait rien, elle les côtoyait un peu par hasard, involontairement, comme elle aurait gardé une chambre de malade. Les gestes

259

emphatiques de la femme au bain, la belle Esther dévoilant sa gorge, le tendre couple nu dans la forêt, l'adolescent radieux lui étaient aussi étrangers que le pays et l'époque où ces tableaux avaient été peints. Et alors ? pensa-t-elle. Ce paysage mythique de montagnes, cette brume rêveuse, cette lumière mélancolique, ce bleu que Pierre semblait trouver si beau, elle, Laure, en avait-elle vraiment besoin ? Ils ne s'adressaient pas à elle non plus. Laure ressentit soudain une grande sympathie pour la femme au visage morne et engourdi. Ces gestes, ces couleurs, ces personnages qui tournaient vers le ciel leurs yeux et leurs beaux bras blancs célébraient une fête dont, de tout temps, elles avaient été toutes deux exclues. « Jakob van Hayden, lut-elle au bas d'un tableau. Tu le connais ? » « Moi, non, dit Pierre, ça ne me dit rien. » Un palefrenier attachait des chevaux à une borne, tandis qu'un jeune homme, en pourpoint et béret à plumes, s'avançait pour surprendre un groupe de baigneuses. « La nymphe Aristée, continuait Laure, surprise au bain par Apollon. Apollon avec un chapeau à plumes ? » dit-elle. « Aristée, dit Pierre, d'après mes souvenirs, c'était plutôt un berger, à qui Apollon avait volé ses abeilles, mais je peux me tromper... » « Il y a une abeille, dans le coin » dit Laure. « Garde-la pour ta thèse », dit Pierre.

Comme ils s'étaient rapprochés l'un de l'autre, une chaleur les envahit, et Pierre tendit ses lèvres vers Laure. La femme avait remis la musique en route, et elle la baissa le plus qu'elle pouvait lorsqu'ils repassèrent devant elle, mais sans l'arrêter tout à fait. « Elle a l'air brave, cette femme, dit Pierre. Mais ce qu'elle doit s'ennuyer. » La musique sournoise qui l'entourait semblait comme une revendication, obtuse

260

et forte, comme une voix s'obstinant à rappeler l'existence d'un monde où il n'y a ni art, ni beauté, ni livres, ni tableaux, mais (cela se vit dans le coup d'œil furieux que la gardienne jeta à la porte) un désir constant d'être protégé des courants d'air. Je suis tout à fait comme elle, pensa Laure. Toutefois, en partant, elle jeta un dernier regard au couple énigmatique, si fragile et si nu, sur le fond froid des montagnes bleues.

La gardienne avait repris son crochet, après les avoir salués, un modèle compliqué dont elle suivait le tracé sur un journal replié ; la voix du jeune chanteur s'était tue ; une mélodie banale lui succéda que Laure ne reconnut pas. Dans la voiture, Pierre la serra contre lui : « Nous pourrions même travailler ensemble. Je laisserais mes notes chez toi, ce serait un secret de plus. » Ce mot encore une fois était de trop.

Pierre se mit donc au travail avec une assiduité véritable qui l'étonna le premier. Il retrouva le plaisir des emplois du temps précis ; les fiches, les lectures soulignées. Il avait laissé chez Laure des notes, des cahiers, des ébauches ; il les retrouvait avec une joie d'enfant, le sentiment d'une contrainte acceptée qui ne lui coûtait pas. Chaque soir, il venait vers quatre heures, parfois arrivait avant elle, et elle le trouvait à la table ronde, la cravate desserrée, l'air soucieux dans la fumée des cigarettes. Laure le regardait : « Ne t'approche pas, démon, disait-il, ne me tente pas. » Mais il s'arrêtait tout de même pour prendre une tasse de thé et il était trop tard ensuite pour s'y remettre. « J'y vois de moins en moins clair, disait Pierre, c'est bon signe, c'est signe que j'avance. »

Vers le milieu de mars, peu avant les vacances de Pâques, il y eut au lycée une histoire un peu contrariante, une discussion entre le proviseur et un jeune professeur de philosophie, au cours de laquelle le proviseur eut un malaise cardiaque (ou juste en revenant dans son bureau : les avis divergeaient). Il se remit d'ailleurs très vite. Mais le lycée se divisa en deux clans ; pour certains (témoins ou non), l'attitude du jeune homme avait été arrogante, "intolérable". (Du reste, disait-on, il n'était pas très soigné, « il avait toujours les ongles sales », disait Mme Feider, le professeur d'anglais.) Les autres avaient pris son parti parce qu'ils n'aimaient pas le proviseur, personnage insupportable, tâtillon, toujours planté à huit heures sur les marches du perron pour guetter les retardataires : « Monsieur Timonnier ! Passez donc me voir si vous avez un moment. » (Timonnier était un brave homme, qui venait au lycée sur un Vélosolex, et ne retirait pas toujours les pinces de son pantalon avant d'entrer en classe. « Encore en retard, Monsieur Timonnier ! » « Je suis tombé en panne, Monsieur le proviseur, j'ai dû nettoyer mes bougies en route. ») Bien que du second parti, Pierre envoya tout de même une carte de vœux à l'hôpital, "pour le prompt rétablissement" du proviseur, et il essaya d'inviter à dîner le jeune professeur, pour marquer publiquement sa solidarité avec lui. Mais il se heurta deux fois à des excuses évasives du jeune homme, pressé de reprendre son train pour Paris, et il abandonna.

Cependant, l'"histoire" qu'il avait eue marqua la carrière du philosophe à R. : quand un élève ou

262

deux étaient "intenables" à la classe suivante, on ne s'en étonnait pas trop ; pas davantage lorsqu'il y eut quelques échecs au bac en série A. Mme Groulty, l'un des deux professeurs de physique et qui avait un fils dans cette classe, "ne voulait rien dire". Le jeune professeur demanda son changement, ne l'obtint pas. La salle des professeurs (et les conseils de classe du trimestre) en furent eux-mêmes perturbés. Laurencin, d'après Mme Rougier, avait été "admirable" et lui "avait cloué le bec" ; on ne sait pourquoi, mais Mme Rougier cessa de parler à Pierre.

Du reste, Pierre était fatigué. C'était la fin du trimestre, il était accablé de copies, de conseils de classe ; et il n'arrivait pas à se débarrasser de son rhume. Il éternuait dans la rue devant le lycée (il se rappelait les yeux rouges de Babeth et sa voix enchifrenée la première fois qu'il l'avait raccompagnée chez elle), pendant ses cours (il donna deux heures de colle à un élève qu'il avait surpris à compter ses éternuements : cela ne lui était encore jamais arrivé). Et, disait-il à Laure, l'atmosphère de la boîte était "à couper au couteau", il "en avait plus qu'assez". Il regardait avec nostalgie la pile de notes auxquelles il ne touchait plus : « Après Pâques », disait-il. Laure lui versait une nouvelle tasse de thé, avec une aspirine. Il éternuait encore une fois. « Je suis si bien avec toi, mais de quoi j'ai l'air ! Il faut que je file, Laumonnier (c'était le nom du proviseur) nous a collé un conseil de classe à cinq heures et demie, pour les secondes C. » « Les secondes C ? disait Laure. Je croyais que tu n'en avais pas cette année ! » « Que si, malheureusement, disait Pierre, tu sais bien que j'ai dû reprendre une partie du service de Gabert. » Il rapporta chez lui quelques dossiers, pour pouvoir continuer tout de même après le dîner, ou le dimanche. Mais quand la table était desservie, le calme revenu, il était fatigué, somnolent, la télévision marchait, son doux ronronnement l'invitait à la paresse. Il se levait tout de même, refermait sur lui la porte de son bureau, où il avait fini par s'installer, mais il se sentait comme un enfant qu'on force à travailler, et qui entend de loin jouer ses frères et sœurs. Il revenait dans la salle commune, Annie lui préparait un grog (Laure s'y refusait toujours : « C'est très mauvais, disait-elle, quand on a de la fièvre, l'alcool, c'est franchement déconseillé »), s'asseyait un moment et regardait le film. Le thème qu'il cherchait lui fuyait entre ses doigts, il alignait des titres : mais l'idée elle-même était devenue sans consistance. Oui, tout était dans ce livre, que pouvait-il faire d'autre que de le répéter, en moins bien ? Cette idée acheva de le décourager. Il essaya d'en parler avec Annie, mais il vit bien que cela ne l'intéressait pas. « Ah, je vais encore éternuer », disait-il. Et il sortait, car ses crises d'éternuement l'énervaient. « C'est sûrement allergique, disait-elle, mais soigne-toi ! »

D'abord, qu'avait-il à dire, à propos de l'amour impossible, que ce fût celui de Mme de Mortsauf ou le sien ? De quoi se faisait-il le champion, lui, prisonnier d'une famille qu'il aimait, et des douces images qu'il retrouvait le soir, un vélo d'enfant abandonné sur la pelouse, les bisous tendres de la petite passant du museau de son chien au visage de son père ? Sa défaite était encore pire que celle dont l'héroïne se mourait. Il se secouait : « Je ne suis pas une bourgeoise romantique, quel rapport ! C'est une hystérique, voilà tout. » Il n'était pas non plus un "père de famille" autoritaire et rayonnant, un procréateur fier de sa lignée : il essayait de vivre, simplement. Quant à son amour pour Laure, il n'avait rien d'un sursaut barbare et panique, d'une révolte admirable. C'était aussi quelque chose de doux, de réconfortant (pas toujours, mais enfin), d'amène. Et il était possible de conserver tout cela, ensemble, à condition d'accepter d'être soi-même : faible, sensuel et soumis.

Laure, de son côté, vit bien que Pierre "ne se tenait pas à son travail" (comme disait son père en parlant de la peinture). Sans doute ses carnets et ses notes l'accompagneraient-ils désormais toute sa vie, comme les toiles et les pinceaux de son père avaient accompagné celui-ci. Comme son grand-père avait eu un tour à bois où il faisait des ronds de serviette. Et elle fut presque soulagée lorsqu'elle vit que Pierre avait rangé définitivement les notes qu'il avait laissées chez elle et n'en parlait plus. Ce qu'il faisait "là-bas", après tout, cela ne la regardait pas.

25

Le rhume de Pierre dégénéra en bronchite; il garda le lit quelques jours à la fin de mars; et les premières fois qu'il sortit, il se sentait "complètement étourdi", "flagada", "les jambes en coton". « Tu m'inquiètes, tu as une mine! » disait Annie. Un soir, en rentrant de la banque : « J'ai parlé avec Fournier, dit-elle, il m'a proposé sa maison dans le Calvados, sur la côte. » « Tu es de mieux en mieux avec Fournier », dit Pierre. « Oh, si tu le voyais, dit Annie, tu ne parlerais pas comme ça. Mais passons. Ils n'en font rien l'hiver, elle est à nous. Tu peux partir devant, si je peux, je te rejoindrai pour le dimanche de Pâques. Tu pourrais t'arranger tout seul, une semaine? » « Tu parles, dit Pierre. Et les œufs à la coque? » « Ne plaisante pas, dit Annie, il faudra que tu manges correctement; tu es en convalescence. » Pierre toussa. « Tu vois, c'est loin d'être fini. »

« Je vous préviens, avait dit Fournier, ce n'est pas très grand ni très neuf. » Pierre partit le 26, sans avoir rien dit à Laure, sans avoir recouru aux excuses habituelles (« moi, je n'y tenais pas », « j'aurai du mal à te téléphoner », « les vacances, c'est toujours un peu une corvée pour moi »). Il arriva en fin d'après-midi, ouvrit la cuisine qui sentait le moisi et monta dans la chambre mansardée, posa son sac. Ces quelques heures furent délicieuses : il était ressorti manger une friture sur le port, il marcha sous les arcades et rejoignit un peu tard, fatigué, la maison basse avec sa courette derrière une barrière écaillée, et son étage surbaissé où traînaient des vêtements d'été, une chaise longue, des bouées, des ballons d'enfants, dans une mélancolique odeur de papier peint défraîchi, d'humidité, de bois et de mer. Le lendemain matin, d'une cabine, il appelait Laure. « Tu ne devineras jamais où je suis », dit-il. Elle était à son bureau, un groupe d'enfants avait envahi la salle de lecture. « Je t'entends mal », dit-elle. « Qu'est-ce que tu fais de cette semaine ? » « Mais, dit Laure, je ne suis pas sûre de la prendre, ma collègue a besoin de quelques jours pour les enfants. » « Tant pis pour elle, dit Pierre, pour une fois pensons à nous. Je suis en Normandie. » Elle ressentit une pointe de douleur, de découragement. « Un collègue de... (il hésita), un ami nous, m'a prêté sa maison. Veux-tu venir me rejoindre ? » « Oui, dit-elle, explique-moi mieux. »

« Je n'avais pas voulu t'en parler avant, dit Pierre en l'accueillant. Je n'étais sûr de rien, j'étais vraiment mal, tu sais, j'ai eu de la fièvre quinze jours. » Mais Laure ne l'écoutait pas, elle explorait la maison et, dans la cuisine minuscule, derrière un rideau de cretonne tendu sur un fil, elle avait trouvé dans des boîtes des galets, de beaux coquillages et deux étoiles de mer desséchées. « Regarde ce que j'ai découvert », dit-elle.

Malgré la fatigue de Pierre (qui les premiers jours parcourait avec peine la distance de la maison au port et s'endormait à neuf heures), ils firent de grandes marches. N'ayant rien apporté de chaud, ils s'équipèrent à la coopérative maritime de cirés, d'écharpes, de chaussettes de laine et de bonnets de marin.

Deux jours passèrent, un troisième, un quatrième commençait et Laure se mit à penser à leur séparation prochaine, dont ils n'avaient pas parlé (elle n'avait pas osé demander à Pierre s'il reviendrait avec elle ou s'il resterait pour attendre sa famille). Et à travers sa joie à se réveiller près de Pierre, à sortir dans les rues, sur le port, à son bras, à déjeuner avec lui de crêpes, une petite douleur lui venait, une appréhension, un calcul. Ce mardi, ce mercredi ensemble affichaient hautement leur privilège sur ceux qui suivraient et qui seraient faits sur le modèle commun, et non plus de cette matière précieuse. Chaque moment de la journée préfigurait ainsi un moment tout semblable où ils ne seraient plus ensemble. Et, comme l'idée de la mort se profile derrière les apparences délicieuses d'un beau jour (soleil droit sur la mer, allée d'arbres dans le chant des oiseaux), Laure faisait parfois des comptes, des supputations qui la laissaient sans force et qui faillirent plus d'une fois lui gâcher leur séjour (combien d'heures encore avec Pierre, combien de dîners ensemble, de nuits ?). Puis

268

elle oubliait tout. Ils avaient trouvé sur la plage un goéland blessé ; ils le nourrirent ; l'oiseau méfiant essayait de s'envoler en les voyant, faisait quelques pas en tournant sa tête vivement pour voir de quel côté venait le danger. « Mais nous ne te voulons pas de mal », disait Laure. Elle cassait des coquillages avec une pierre, les laissait près de lui, le lendemain elle le trouvait blotti dans une anfractuosité, mais les coquilles étaient vides.

Une nuit, Pierre fut malade ; il avait essayé de se lever doucement pour ne pas la réveiller, mais elle l'entendit tout de même aller et venir, s'enfermer dans la salle de bains, vomir longuement. Quand il se recoucha, s'étant aspergé d'eau de Cologne, il tremblait : « J'ai froid, j'ai froid », disait-il. Elle le couvrit, se colla contre lui pour le réchauffer, lui fit boire deux fois de la citronnade chaude. « Ce sont les coquillages, dit-il, je ne suis pas une mouette, moi, ça ne me convient pas. » Cet épisode resserra leur affection, elle dut aller pour lui chez le pharmacien. Il était pâle, vraiment ; mais le soir il allait mieux, et ils dînèrent légèrement dans un des restaurants ouverts de la petite ville, face à face derrière l'étroite fenêtre masquée par des rideaux assez laids, à carreaux rouges et blancs. « Tu crois que je peux boire un peu de vin ? » dit-il. Et ils revinrent lentement par la rue principale ; les villas avaient leurs volets fermés, et sur leurs murs des traces de rouille brunes comme du sang séché. Cette nuit-là, Pierre dormit beaucoup ; en se réveillant, il se sentit tout à fait bien. « Viens, dit-il, prenons notre petit déjeuner sur le port. » Ils s'habillèrent, sortirent ; le vent n'avait pas faibli, le ciel était net, pur, dégagé, les goélands criaient très haut. Ils s'installèrent à une table sur le devant ; à travers la vitre, il faisait presque chaud. Ils se regardaient tendrement.

Ils s'apprêtaient à payer l'addition quand Pierre s'aperçut qu'il avait laissé son portefeuille à la maison. « Ah, dit Laure, je n'ai rien du tout. » (C'était une des habitudes agréables de ces journées passées ensemble : Pierre seul avait de l'argent sur lui.) « Veux-tu que je t'accompagne ? » dit-elle. « Non, reste, reprends un café, j'y vais en courant, je suis là dans cinq minutes. » Dehors il fut saisi de nouveau par la beauté de la lumière ; les barques bougeaient vivement dans le flot montant ; les oiseaux criaient ; le soleil frappait les toits. Il avait déjà remonté la rue principale, et tournait dans l'avenue des Bains, lorsqu'il aperçut sa voiture rangée sur le côté gauche de la rue. Il s'arrêta. Sa voiture ? Mais il ne pouvait y avoir le moindre doute : bizarrement, ses yeux ne pouvaient quitter l'égratignure qu'il avait faite récemment contre la barrière du jardin, qui y avait laissé un peu de peinture verte. Il se rua vers la maison. Annie était dans le petit jardin dont la barrière n'était jamais fermée, un gros sac à ses pieds, le teint animé. « Comme elle est jolie ! dit-elle, quelle jolie petite maison ! Mon chéri, je n'ai pas pu te prévenir, finalement je me suis arrangée. » « Mais », dit absurdement Pierre, comme s'il pouvait encore y changer quelque chose, « tu m'avais dit que tu ne serais libre que dimanche. » « Eh bien, dit-elle calmement, tu vois, non. » Pierre n'écoutait pas ; il sentait toutes ses forces se tendre vers un seul but : d'abord empêcher Annie d'entrer, ensuite prévenir Laure. Il fallait évidemment faire vite, de peur que Laure ne s'inquiète et ne les rejoigne. (Un soulagement lui vint, mêlé de honte : elles ne se connaissaient pas.) Il avait mal à la tête, envie de vomir, il aurait voulu être mort, disparaître, là, tout de suite, laisser une tache dans le sable et oublier tout. Ses mains tremblaient ; le soleil lui parut froid. Annie le regardait : « Tu sais que j'entrerais bien, j'ai à peine chaud. » « Ah, ça ! dit-il (plus tard, il se demanda comment il avait trouvé si vite les parades et les mots qu'il fallait), j'ai laissé mes clefs sur la table du bistrot ! » « Tu déjeunes dehors ? » dit Annie. « Oui, dit Pierre, c'était plus simple. J'y vais, j'en ai pour un instant. » (C'était exactement ce qu'il avait dit à Laure en la quittant.) « C'est loin ? » dit Annie. « Encore assez », dit Pierre pour la dissuader de venir, mais : « Je t'accompagne en voiture », dit-elle, et avant que Pierre ait eu le temps de protester : « Non, vas-y tout seul, moi je t'attends au coin. » ''Au coin'', c'était un tabac-journaux assez mal soigné, qui sentait le pernod et le tabac refroidi. « Je vais prendre un café, pour me réchauffer. » D'un geste machinal, Pierre fouillait encore sa poche : il sentit tout au fond un billet, un soupir de soulagement gonfla sa poitrine. Ouf ! C'était déjà ça. Il allait quitter Annie lorsqu'une nouvelle inquiétude lui vint : et la voiture de Laure, juste devant la porte ! Mais quelle bêtise, Annie ne l'avait jamais vue. Il y avait bien le numéro de la plaque, le même que le leur, mais Annie ne faisait jamais attention à ces choses. « Les clefs ! dit-elle. Tiens. »

Il s'avança vers sa voiture, reconnut à l'arrière le désordre laissé par les enfants ; mais ses mains tremblaient si fort qu'il dut s'y reprendre à deux fois pour mettre le contact.

Laure l'attendait dehors, assise sur le rebord de pierre de la jetée. « Déjà ! » dit-elle. Il avait laissé la voiture à quelques mètres. « Mais qu'est-ce que c'est que ça? ajouta-t-elle. Tu es en voiture? » Pierre était entré payer, il ressortit, prit une profonde inspiration et saisit Laure par le bras. Il n'était plus temps de prendre des précautions : « Oui, dit-il, ma femme est arrivée, je l'ai trouvée devant la porte. » « Mais tu m'avais dit », dit Laure faiblement. « Oui, dit-il, peut-être, mais il faut se dépêcher. » Laure sentit qu'elle se transformait en un bloc d'indifférence. Ses yeux n'arrivaient plus à se détacher d'un gros goéland taché de roux sous le ventre qui s'était hissé avec effort sur un rocher. Est-ce que c'est le nôtre? pensa-t-elle. L'oiseau s'était envolé, puissant, délivré de la pesanteur. « Dépêchons-nous », dit encore Pierre. « Je n'aurais jamais dû venir », dit Laure. Pierre pensa « maintenant que le mal est fait », mais il dit seulement : « Écoute. Voici les clefs de la maison. Je vais retourner là-bas dire à Annie que je les ai perdues et l'emmener les chercher, prendre du temps, la distraire. Pendant ce temps-là, tu entres et tu ranges tout, tu enlèves tout, et quand tu auras fini, tu... » (il hésitait à dire : tu t'en iras), il dit : « Tu les jettes dans le jardin, je ferai semblant de les retrouver en revenant. » Comme elle ne bougeait pas, il lui serra le bras : « Faisons vite, dit-il, dans cinq minutes tu peux venir, je serai parti », sur un ton si brusque et si tendu (comme effrayé, pensa Laure) que celle-ci fondit en larmes. « Ne pleure pas, oh, ne pleure surtout pas ! » dit Pierre, et dans sa voix elle nota plus d'exaspération (et même une sorte de panique) que de tendresse.

A midi, tout était en place. En retrouvant Annie au café-tabac, Pierre eut l'impression que le patron lui jetait un drôle d'œil, mais c'était un alcoolique, "toujours entre deux vins", que pouvait-il bien avoir vu ? Il l'entraîna aussitôt dans un long périple à pied, depuis la petite gare (où il prétendit avoir le matin acheté des cigarettes) jusque chez le coiffeur, et même au café du port, où naturellement on n'avait pas trouvé ses clefs. « Décidément », dit le patron. « Pourquoi, décidément ? » dit Annie. « Je ne sais pas », dit Pierre. A midi, il retrouvait ses clefs dans le jardin. « On ne voit qu'elles, dit Annie, c'est inouï qu'on ne les ait pas aperçues tout à l'heure. » Pierre avait le cœur déchiré. Ils s'étaient quittés sans se dire adieu, fâchés — pire : séparés. Comme ils ne l'avaient jamais été. Et il faillit pleurer en découvrant devant la maison un rectangle de sol sec plus clair, laissé par le départ de la voiture de Laure. Il essaya de lui téléphoner le soir même ; il insista ; personne ne répondit.

(Ils en parlèrent une fois, beaucoup plus tard. Pierre dit simplement : « Est-ce que tu m'as pardonné cela ? » « Est-ce que je pouvais faire autrement ? » dit Laure.)

Laure fit le voyage de retour dans un état de vide et d'abattement, la tête brumeuse, sans pensée. Chez elle, d'abord, elle ressentit une très grande fatigue ; elle se coucha tôt, s'endormit sur le champ. Elle se réveilla au bout de quelques heures ; la nuit était très noire, elle étouffait. Quelque chose avait eu lieu, quelque chose de monstrueux, qu'il aurait mieux valu oublier. Soudain elle se rappela tout : et elle se sentit vaincue, écrasée, humiliée, bafouée ; elle avait les yeux secs, grands, ouverts dans le noir, et la honte montait en elle avec la colère. Elle alluma sa lampe de chevet et resta de nouveau un long moment sans bouger. Puis ses larmes se mirent à couler.

Elle revoyait tout ; elle se reprochait tout ; elle avait tout compris ; la vraie nature, abominable, de leur "entente", lui était, d'un coup, révélée : non pas abominable — misérable. Elle avait vu le visage de Pierre, elle ne l'oublierait pas : un visage contrarié, crispé, et sur ce visage étaient passés successivement, fugitivement, la honte, la peur et (surtout, surtout !) la soumission, un air d'importance et de gravité, plus qu'une résolution ou une détermination farouches : elle devait partir ; il n'y avait pas dans l'attitude de Pierre l'ombre d'une pitié pour elle ("ma douce", "ma belle maîtresse", "tu es ce que j'ai de meilleur"...). Ou plutôt, en admetttant que Pierre eût souffert pour elle, éprouvé de la pitié pour elle — cette souffrance, cette pitié ne pouvaient rien changer, ne pesaient d'aucun poids face à *cela*. Cela ? Qu'était-ce donc que "cela" devant quoi Pierre s'inclinait sans murmure ?

Il y avait là quelque chose de tout à fait incompréhensible, un mystère. Et Laure voyait bien qu'on n'avait rien résolu si, pour l'expliquer, on invoquait, chez Pierre, le sens du devoir, ou la nature même de ce devoir, la gravité des engagements pris et la conscience que Pierre en avait, car dans le même temps, Pierre ne lui était pas apparu comme l'incarnation intransigeante de la loi. Il n'avait pas l'air torturé non plus : on voyait clairement de quel côté il penchait. Il avait semblé agir comme un halluciné en proie à une influence qu'il ne maîtrisait pas, et ses gestes paraissaient dictés par une suggestion, une hypnose. En agissant ainsi, il avait, aux yeux de

Laure, plutôt affirmé la faiblesse de son caractère que la force de ses attachements aux liens familiaux. Ce devant quoi il s'effaçait (entraînant avec lui, dans cette abdication forcée, Laure et toute la matière précieuse de leur "entente"), on sentait bien que, même en n'y croyant plus, il l'aurait tout de même respecté. Comme on continue d'aller à la messe longtemps après avoir perdu la foi.

Telle était peut-être, alors, la nature même de cette "foi" conjugale dont les hommes comme Pierre continuaient d'honorer la forme vide. Mais n'était-ce pas justement quand (et parce qu') elle était devenue une forme vide qu'on ne pouvait plus éviter de l'honorer ? Que serait-il resté d'elle sans cela ? Rien. Laure, elle aussi, aurait voulu mourir, tant elle se découvrait misérable et fragile, exposée. Ou plutôt : être morte ; ou encore : n'avoir jamais été, ne pas être mêlée à tout cela qui lui faisait horreur. Voici donc ce qu'il lui avait fallu découvrir : l'existence d'une fidélité paradoxale, qui ne reposait plus sur un amour qui l'eût justifiée, mais s'accommodait de toutes les trahisons (car aux yeux de Laure, Pierre, indubitablement, en l'aimant, "trahissait" sa femme, ses enfants, sa famille). Et la nature insaisissable d'un lien qui subsistait, même après la mort du sentiment, ou l'apparition d'un autre (le leur ! si fort !) — en admettant qu'entre Pierre et Annie le "sentiment" fût mort. Elle entrevit un monde qui l'étonna : celui de la dépendance des hommes à l'égard des femmes, le singulier pouvoir que celles-ci acquièrent sur eux (à côté duquel le "pouvoir" sensuel de Ghislaine sur "les hommes" n'était qu'une plaisanterie) ; l'incapacité où les femmes les mettent (où les hommes se mettent ? Elle ne savait plus) d'assumer seuls leur subsistance quotidienne : de se nourrir, de se vêtir, de vivre ; la (fausse) liberté dont c'était en apparence le prix : une liberté de mâle, celle de courir renifler tout le jour, comme font les chiens, les traces alléchantes sur des murs. Mais, le soir, ils rentraient tous à la maison.

Des images tournaient dans sa tête ; elle s'épuisait, pleurait ; séchait ses larmes ; se rendormit par à-coups. Elle pensait à la répartition des tâches, des rôles, dont tant de couples donnent l'image admirable et parfois étouffante : le plus uni des mariages (ceux-là surtout) n'était-il pas une tromperie, qui consistait à séparer définitivement ceux qu'il avait charge d'unir et dont il faisait non des êtres complémentaires, comme on le dit faussement, mais des êtres incomplets, dépendants ainsi à jamais l'un de l'autre ? Finalement, le pire était tout de même que, dans le cas de Pierre, un ciment nécessaire manquait, une foi qui eût expliqué, justifié tout le reste : la fidélité. Mais qu'on voulût avoir les deux : la loi et l'entorse à la loi, voilà ce qu'elle ne lui pardonnait pas.

Alors elle comprit qu'elle se condamnait elle-même en condamnant Pierre, puisque de cette trahison elle était la complice et même la bénéficiaire. De quel droit en faisait-elle reproche à Pierre ? N'arrivait-il pas qu'on pût changer ? Était-on maître de ce qu'on désirait ? Comme Lautier, et sans le savoir, Laure en vint à penser qu'il aurait fallu avoir non seulement plusieurs âmes mais plusieurs corps, si l'on voulait continuer de vivre à la fois ses engagements et leur contraire. Que faire ? Que pouvait-on faire ? Fermer les yeux sur le monde, s'enfermer ? Ou accepter un compromis, comme le faisait Pierre ? Ou, à

chaque fois qu'un nouvel amour se présentait, abandonner tout, repartir à zéro, "refaire sa vie"? De
quel côté qu'elle tournât le regard, Laure n'entrevit
que désastre : des sujétions monotones, des asser-
vissements consentis, des révoltes sans lendemain, et
surtout l'infortune de la loi, partout respectée et partout bafouée, puisque en fin de compte, tout le
monde se mariait mais dédaignait de respecter l'engagement pris. Et Laure en se rendormant eut l'image
d'un monde peuplé d'êtres attachés deux à deux aux
mêmes tâches par les mêmes devoirs, attablés ensemble pendant une succession indéfinie de repas, dormant dans le même lit, et qui se cachaient mutuellement (ou s'avouaient, ce qui ne valait guère mieux)
la répétition d'aventures qui ne leur apportaient pas
de joie mais leur ôtaient à tout jamais la paix du
cœur.

« C'est drôle, dit Annie, plusieurs jours après
leur retour de Normandie. Je ne t'avais rien dit sur
le coup, mais devant la maison il y avait une voiture
immatriculée dans notre département. C'est drôle,
tu ne trouves pas, comme coïncidence. »

26

Quelques jours plus tard, Laure trouvait dans sa boîte une lettre de Pierre avec ces mots : « Je t'aime », sans date. En effet, que dire d'autre? Demander pardon, expliquer, quêter la compréhension, l'indulgence de Laure? Accablée, elle retrouva d'un coup le souvenir de cette matinée : la petite plage, le cri des oiseaux, et son cœur qui battait, tandis qu'elle enlevait les vêtements du placard, rangeait les bols, les cuillers, les assiettes retournées sur l'égouttoir, décrochait sa serviette de toilette, vérifiait qu'elle n'avait pas laissé de linge, d'épingles à cheveux, de parfum.

Elle avait invité Ghislaine à passer quelques jours avec elle, il y avait presque deux ans qu'elles ne s'étaient pas vues. Et sa visite lui fit du bien : le deuxième soir, elle lui raconta la scène (en l'arrangeant un peu), elle avait tenu bon le premier. Ghislaine n'avait pas changé. Son "idée des hommes" — elle n'admettait aucune espèce de différence, seulement quelques nuances — était plus pessimiste que jamais. « Ça ne m'étonne pas », dit-elle ; dans ce domaine rien ne pouvait l'étonner, une anecdote n'était jamais que l'illustration prévisible d'une loi. Et après un silence, s'étant confortablement étendue sur le canapé, elle jeta ses chaussures et ralluma sa cigarette (elle fumait maintenant de longues cigarettes enveloppées de papier brun) : « Écoute, dit-elle, je vais te raconter ce qui m'est arrivé à moi il y a deux ou trois mois. » Un type qu'elle avait rencontré (Laure n'avait jamais aimé qu'elle dise "un type"), "en bref", dit-elle (justement, Ghislaine n'était jamais brève), enfin la plus vive passion était née entre eux. « Remarque, » elle fit aussitôt une parenthèse, « ces choses-là, ça ne dure pas. C'est comme une maladie, mais ça passe. "Passion" vient de "passer". » « Pas du tout, dit Laure, ça vient de souffrir. » « Raison de plus, dit Ghislaine qui ne s'embarrassait pas de logique, raison de plus. » En bref, donc, "il l'aimait tellement" qu'il avait envisagé de tout quitter pour elle. Un soir, il était sorti de chez lui pour faire une course quelconque, en route il avait, sur un coup de tête, pris le chemin de chez elle. Elle était venue lui ouvrir aussitôt, un peu étonnée. Il était pâle, il avait l'air bouleversé, il s'était assis sans rien dire, puis : c'était fini, dit-il, il venait s'installer chez elle. « Tu veux bien de moi ? » La soirée avait passé ; il ne disait pas un mot ; il la serrait contre lui sans l'embrasser, refusa de manger. Il voulait seulement sans arrêt de l'eau, il était mort de soif. A dix heures, il s'était levé : « Je ne peux pas dormir ici, avait-il dit. Je vais téléphoner chez moi et j'irai dormir à l'hôtel. » Cependant, au moment de partir, il était si indécis que Ghislaine dut « pratiquement le pousser dehors ».

Tard dans la nuit, il l'appelait : « Je n'ai pas pu, pas comme ça. Ça ne serait digne ni de toi ni de moi. » « Ce sont des mots que je n'oublierai jamais, dit Ghislaine, ils sont gravés là », et elle se frappa délicatement le front de deux ongles peints.

Elle avait compris. Depuis, il n'avait pas donné le plus petit signe de vie. « Même pas une lettre ? dit Laure. Et toi, tu as écrit ? » « Tu plaisantes, dit Ghislaine, remarque, ça ne vaut pas l'autre, qui m'avait envoyé deux mois plus tard un faire-part de mariage. » Laure resta sidérée. « Je te raconterai ça une autre fois, dit Ghislaine. A nous deux, on pourrait en faire un livre. Mais je te l'ai dit, ça passera. La passion, ça passe : c'est une maladie. »

Elles allèrent se coucher, il était presque deux heures.

« Pas d'autre ressource que la fuite, ils n'ont pas d'autre ressource », disait Ghislaine. Mais Laure ne la croyait pas. Elle regardait de temps en temps l'unique mot de Pierre « Je t'aime » : il y avait une certitude, dans ces caractères fermement apposés au centre de la page : mais laquelle ? Elle hésitait. Alors seulement elle remarqua qu'il n'avait pas signé.

Un mois passa. Pierre gardait toujours le silence : il était fâché, il avait honte, il était lâche. Mais quoi qu'il fût, c'était Pierre : et elle ne savait plus rien de lui. N'importe quoi pouvait lui arriver (une simple bronchite, ou quelque grave souci, la maladie d'un enfant, celle de sa mère) et elle n'en saurait rien. Lorsqu'il avait une heure de retard, il téléphonait chez lui ; tous les jours à six heures au cours de ce funeste voyage en Normandie : « On s'inquièterait chez moi », disait-il. A Laure, il n'éprouvait pas le besoin de donner de ses nouvelles. Et elle, est-ce qu'elle ne s'inquiétait pas ? Il est vrai qu'aujourd'hui ils étaient peut-être définitivement séparés (au fond d'elle, elle ne le croyait pas tout à fait). Mais durant l'été c'était la même chose, c'était comme si rien n'avait pu lui arriver, ni arriver à Laure. C'était comme s'ils avaient vécu hors du temps, hors d'un temps où des événements surgissent.

Une fois, Laure n'avait pu s'empêcher d'en parler à Pierre : « Tu es gaie, dit-il, merci bien. » Laure insistait : « Mais si tu étais vraiment malade, tu... » Pierre l'avait interrompue : « Quelle idée ! Tu veux que je m'engage par écrit ? » « Oui », avait-elle dit. « Vraiment, avait-il répondu sèchement, si tu veux, parlons d'autre chose. » Entre nous, pensait-elle maintenant, il n'y a pas de place pour... Elle hésitait : pour la mort. On pouvait le formuler comme on voulait : la mort de Pierre ne pourrait pas trouver place dans sa vie, et la sienne pas davantage dans la vie de Pierre. Ils ne pourraient ni l'un ni l'autre en faire état auprès de qui que ce soit, ils seraient seulement l'objet de consolations hypocrites et voilées, de confidences chuchotées dans leur dos. ''La deuxième veuve'' ou ''la petite bibliothécaire, vous savez ?''

Je suis gaie, c'est vrai, pensa Laure. Mais cette idée ne la quittait pas aisément. Elle n'enviait pas l'arrogante légimité des veuves, leur masque de fierté, leur certitude d'avoir porté l'amour jusqu'à son point extrême. Elle entrevoyait seulement que la mort seule pouvait consacrer solennellement la dédiction d'un être à un autre être : ceux que seule la mort sépare, ceux-là seuls sont vraiment unis. La mort donnait au mariage non seulement son terme mais sa dignité : comme elle la conférait au quotidien qui, sans cela, n'eût été qu'une succession de tâches sans importance, partagées. Étant exclus de la mort, ils se trouvaient en même temps exclus de la vie, du temps. Leur amour lui parut une chose artificielle et froide, une vie fantôme.

Le silence de Pierre n'avait pourtant pas les raisons que Laure avait imaginées. Un peu après leur retour de Normandie, on les appelait une nuit de l'hôpital de B. : le père d'Annie venait d'y être emmené en urgence, on craignait une occlusion intestinale. Pierre passa deux jours là-bas avec Annie, la rejoignit au moment de la mort de son beau-père et la laissa après l'enterrement auprès de sa mère. En rentrant à R., il avait eu envie d'appeler Laure ; mais il préféra lui écrire :

« Ma douce, je n'ai pas pu t'appeler, je voulais pourtant le faire. Je veux te voir, j'ai besoin de toi. Je reviens de B. ; mon beau-père est mort. Tu sais que je l'aimais bien et je crois que lui aussi était attaché à moi. J'ai demandé à le veiller, le soir de sa mort, à l'hôpital ; je suis resté toute la nuit seul avec lui. On avait débranché les tuyaux, rangé les appareils inutiles, tiré son drap sous son menton, mais dans le couloir la vie continuait, les appels, les coups de sonnette, les passages de l'infirmière, d'un chariot. Il y a eu un peu d'accalmie vers trois heures, mais à cinq heures et demie quelqu'un est mort dans la chambre d'en face, beaucoup plus difficilement que lui. »

Il s'arrêta un moment. Il était seul dans la pièce ; les enfants dormaient. Il alluma une cigarette, éteignit la radio. Une grande paix descendait en lui. Il continua : « A six heures, l'infirmière m'a apporté du café. Puis je suis parti. Il est tard, ma douce, j'ai peu dormi depuis deux ou trois nuits, mais je ne sens pas trop la fatigue. Simplement demain il faut que je me lève, j'ai mes cours à huit heures. Je me sens près de toi. Je voudrais (il hésita : que tu sois là ? il écrivit, ce qui l'engageait moins) te voir. Si tu le veux, nous pourrons nous revoir. Je t'aime. »

Il l'appela le lundi, passa le lendemain ; il était pâle, amaigri : Laure oublia ses griefs. Ils s'étendirent un moment tout habillés sur le lit, sans se prendre, mais ils avaient fermé les yeux, ne parlaient pas : ils étaient bien ainsi. Les explications, les questions étaient remises à un avenir incertain. A un moment, Pierre prit la main de Laure et la portant à ses lèvres, il la baisa longuement, avec une ferveur qui ne trompait pas. Cependant au moment de la quitter, Pierre lui dit : « Laissons passer un peu de temps. Nous en avons besoin tous les deux. » Et Laure fut d'accord.

Quelques semaines passèrent, l'été était là, ce qui résolvait tout. Le 3 juillet, Pierre accompagna Bruno à la gare — il partait pour la première fois seul, en Angleterre (mais avec sa classe), et la petite fut envoyée à Guérande chez sa grand-mère ''pour la distraire un peu''.

Pierre et Annie se retrouvèrent seuls, pour tout le mois de juillet. Vers le 14, comme les vacances d'Annie approchaient, Pierre se sentit tout à fait bien, réconforté, reposé.

Il avait encore maigri, en se rasant le matin dans la glace il eut envie de se laisser pousser une moustache. Il passa deux fois sa main sur ses joues et surprit le regard d'Annie sur lui. « Tu sais une chose ? dit-elle, j'aimerais aller quelque part deux ou trois jours avec toi. Je ne sais pas, nous pourrions aller à Rome par exemple. » Pierre réfléchit un instant ; quel mal y avait-il à cela ? Quelle différence, rester à Guérande tout l'été avec elle ou couper ces vacances d'un petit séjour en Italie ? Il sourit : « Je me renseigne cet après-midi. » Ils partirent à la fin de la semaine, et rejoignirent à Lyon le Palatino. Ils étaient à Rome à onze heures et Pierre prit contre lui le bras d'Annie pour sortir de la gare.

Elle le serra contre elle tendrement. On était le 20 juillet, la chaleur était écrasante. Sur le Corso, le macadam avait fondu. Durant ces cinq jours, Pierre ne cessa pas de penser à Laure, mais sans aucune espèce de tristesse, de regret ou de remords : oui, il aurait pu être là avec elle, mais c'était différent. D'être là, en tout cas, avec Annie, ne lui retirait rien. Leur hôtel donnait sur une rue étroite, ils dormirent mal la première nuit à cause du bruit, puis on leur donna une chambre sur la cour de derrière, où s'ouvrait la rosace d'une église, ce détail les frappa. Le soir suivant, ils dînèrent sur la piazza Navona (il leur arriva souvent, par la suite, de se rappeler le garçon volubile qui parlait aux touristes un anglais tout à fait personnel). Puis ils marchèrent dans les petites rues ; de partout montait une odeur d'huile de friture, de moteurs surchauffés, de légumes trop mûrs, de pierres que le soleil avait chauffées toute la journée. Ils rentraient. Dans le noir, Pierre se glissait contre Annie qui dormait. Un soir il se sentit s'épanouir doucement contre sa cuisse, elle ne disait rien, il ne s'écarta pas. Il respirait près de son visage l'odeur du visage chaud de sa femme, sa sueur légère à la base des cheveux : la toile de l'oreiller sentait le frais.

Le lendemain matin, comme il se rasait devant la glace de la salle de bains, il entendit la voix d'Annie : « Tu es très mince, dis donc. Mais tu sais, tu devrais te laisser pousser ta moustache. Je suis sûre que cela t'irait très bien. » « Je ne t'entends pas, dit-il, l'eau coule. » « Ta moustache, dit-elle, tu devrais la laisser pousser. » Elle le regarda dans le miroir, le visage couvert de mousse, il avait toujours eu un drôle de visage à l'envers, asymétrique, qu'elle aimait. « Tu crois ? » dit-il. Il décida de commencer le jour même.

Ils revinrent de Rome avec des sentiments mélangés. « Tu vois, disait Annie, je n'aime pas tellement l'Italie, c'est trop chaud. Bien sûr, c'est magnifique, mais il faudrait avoir plus de temps ou venir au printemps. » Puis, se rapprochant de lui : « Mais c'était bien, c'était bien d'y être ensemble. » Pierre était d'accord, oui, vraiment. Il lui sourit.

Cet été-là fut exceptionnellement chaud : même lorsqu'ils rentrèrent de Guérande, à la fin du mois d'août, la température n'avait pas baissé. Pierre avait installé un bassin dans le jardin pour les enfants et, le soir, ils s'y mettaient tous quatre. Puis ils dînaient

285

dehors, simplement, les soirées étaient un peu plus courtes. Pierre avait maintenant une courte moustache blonde, dont les enfants le félicitèrent. Il se tourna vers Annie : « Et mes cheveux ? » dit-il. « Tu les perds moins, on dirait, répondit-elle. De toute façon, ça te va bien, ça te dégage les tempes, Mais dis donc, c'est un cheveu blanc, ça ! » La petite monta sur les genoux de son père pour essayer de l'arracher.

« Et alors ? » disait-il chaque matin à Annie. « Toujours rien, disait-elle, mais je ne m'inquiète pas, c'est la chaleur. » De fait, c'était bien la chaleur, tout rentra dans l'ordre quelques jours plus tard.

Laure reprit le chemin de la bibliothèque le 3 septembre sans plaisir. Le matin, en partant, elle crut entendre le téléphone, elle remonta, on avait raccroché, personne. Il pleuvait ; Pierre n'avait pas appelé, sans doute était-il rentré pourtant. Cependant c'était bien lui, et il essaya de l'appeler dans l'après-midi, mais il avait oublié les dates de ses congés, elle n'était pas là. Le dimanche, elle décida d'aller au cinéma : elle hésita, il y avait bien une salle tout près de chez elle, ou bien alors les Variétés ? Elle opta pour les Variétés. Comme elle sortait, la nuit n'allait pas tarder à tomber, mais le coucher du soleil maintenait une clarté inattendue, et un banc de nuages très rouges à l'horizon. L'esplanade était balayée par un vent doux, comme une illusion de printemps. Elle fit quelques pas sur le trottoir, lorsque, dans la file d'attente, elle reconnut Pierre. Une vive rougeur envahit son visage, en même temps qu'un sourire qu'elle ne pouvait réprimer ; et elle vit avec bonheur la même chose se produire sur le visage de son amant. Tout n'était donc pas fini, est-ce que cela ne se voyait pas ? (Cette moustache, cependant !) Il souriait encore, mais il tourna légèrement la tête vers la gauche ; elle comprit alors qu'il n'était pas seul et, abaissant les yeux, elle vit près de la hanche de Pierre un petit visage clair, attentif et sérieux, celui d'une fillette aux cheveux très noirs. (Pierre est si roux, pensa-t-elle, alors c'est…) La petite serrait très fort la main de son père et, dans un mouvement de surprise silencieuse, gardait les yeux fixés sur Laure la bouche ouverte, montrant une gencive rose où manquaient deux dents. Pierre dégagea sa main pour la tendre à Laure : « Comment vas-tu ? » dit-il. « Bien », dit Laure. Une voix résonna derrière elle : « Ça n'a pas été facile, mais finalement j'ai trouvé une place. » Laure se retourna, une jeune femme très brune aux cheveux courts la regardait à travers ses lunettes fumées. « Bonjour », dit-elle. Laure eut le temps de voir un beau pendentif à son cou bronzé. « C'est à son action efficace que nous devons d'avoir, dit Pierre en montrant Laure avec une solennité excessive, amusée, une bibliothèque digne de ce nom. » « Ah, c'est vous, dit Annie. Je me reproche tellement de ne jamais passer à la bibliothèque ! Je vous envie, c'est un travail que j'aurais aimé faire. » Les deux jeunes femmes se sourirent, Laure sentit son cœur battre, et sa paume devenir humide. (« Il paraît que les chats sont comme ça, leurs paumes transpirent quand ils ont peur. Est-ce que j'ai peur ? »)

La petite fille tirait sur le bras de son père : « Qu'est-ce qu'il y a ? dit-il, qu'est-ce que tu veux ? » Il s'était penché, elle lui parla tout bas à l'oreille. « Tout à l'heure, dit-il, tout à l'heure. » (« Est-ce qu'elle a demandé mon nom ? ») La femme de Pierre se tournait une nouvelle fois vers Laure avec sollicitude : « Qu'est-ce que vous venez de voir ? *La guerre des étoiles* ? » « Non, dit Laure, *La dame de Shanghai.* » « J'avoue que j'aurais préféré, dit Pierre, mais avec ceux-là... Au fait, où est Bruno ? » « Il est allé s'acheter une glace », dit Annie. Laure fit un pas : « Je vous laisse. » Ils se serrèrent la main.

Dans la rue, elle croisa un jeune garçon qui rentrait en courant, un esquimau à la main, roux, les cheveux drus. Comme son père, un peu plus foncés déjà. Il lui ressemble, pensa Laure avec un bizarre élan. Mais quand elle se retourna, il lui sembla que le jeune garçon avait rejoint une autre famille.

« Elle est sympathique, dit Annie. Elle a un beau regard. » (Comme pour l'infirmière, pensa-t-il. Mon Dieu ! Est-ce qu'il faut que ma femme pense du bien de toutes mes maîtresses ? Il eut envie de sourire : mais il avait le cœur gros.)

C'était ce que je redoutais le plus, pensait Laure, en rentrant, et maintenant "tu vois, c'est passé", comme lui disait sa mère quand elles sortaient de chez le dentiste.

Lorsque Pierre fut devant Laure, dans l'entrée de son petit appartement, leur émotion était si forte qu'elle les empêchait presque de parler. « J'étais si ému, dit-il finalement, l'autre jour au cinéma, j'aurais voulu te prendre dans mes bras, tu étais pâle, l'air traqué, mon Dieu, quelle douleur ! » Et il ajouta — il ne se serait pas cru capable d'une telle liberté — : « Ma fille t'a trouvée très jolie. » Non, cela c'était un peu plus tard ; entre temps elle avait souri, il s'était rapproché ; une fois qu'ils étaient dans les bras l'un de l'autre, tout s'apaisait, il n'y avait plus de souci, plus de doute, plus d'inquiétudes. Étroitement serrés, ils s'étaient rendus dans la chambre, les bouches jointes, leurs mains errant au hasard sur le visage de l'autre. A peine sur le lit, il avait été en elle, le visage enfoncé dans son cou qu'il mordait. Elle avait gémi, et bientôt elle était en larmes et pour la première fois Pierre aussi, et ils laissèrent couler sur leur visage cette eau tiède qui les lavait de tout.

Dehors, Pierre hésita un moment, mais à la hauteur du pont il obliqua soudain vers la route du plateau. La campagne était déserte, la voiture ronronnait doucement : un peu de soleil vif brillait. Il n'était pas beaucoup plus de cinq heures, il avait le temps. Une fois dans la plaine, il respira profondément. La masse des nuages filait vite, dessinant sur les champs des ombres mouvantes qui se déplaçaient avec le vent. Son regard les suivit ; la sensation de paix, en lui, continuait de se répandre. Il roulait doucement, le visage fouetté par le vent ; il remonta légèrement la vitre. Soudain les nuages le rejoignirent, et le paysage se trouva plongé dans une obscurité menaçante. Seule, au loin, inexplicablement, une tache de lumière subsistait : jaune éclatante. Il accéléra brutalement, il fallait qu'il la rejoigne.

Il surprit son regard tendu dans le rétroviseur et son visage animé. « Tiens, pensa-t-il, au fait, Laure n'a rien dit pour ma moustache. »

ACHEVÉ D'IMPRIMER EN JUIN 1986
DANS LES ATELIERS DE NORMANDIE IMPRESSION S.A.
A ALENÇON (ORNE)
Nº D'ÉDITEUR : 1076

Dépôt légal : juillet 1986